LE CORPS HUMAIN
CETTE ÉTONNANTE MACHINE

STEVE PARKER

Adaptation française de Daniel Alibert-Kouraguine

Illustré par
GIOVANNI CASELLI
GIULIANO FORNARI
SERGIO

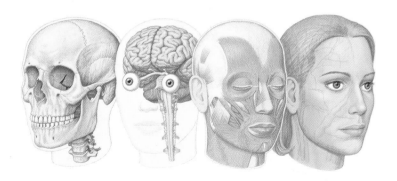

FRANCE LOISIRS
123, boulevard de Grenelle, Paris

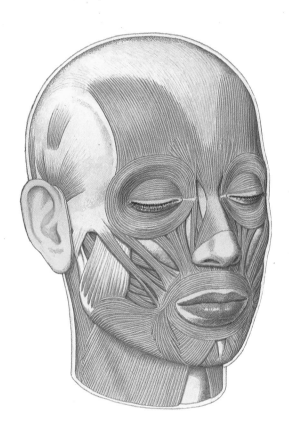

SOMMAIRE

Edition du Club France Loisirs, Paris
avec l'autorisation des Editions Hachette

© 1987, Hachette Paris pour l'édition française

© 1987, Dorling Kindersley limited London

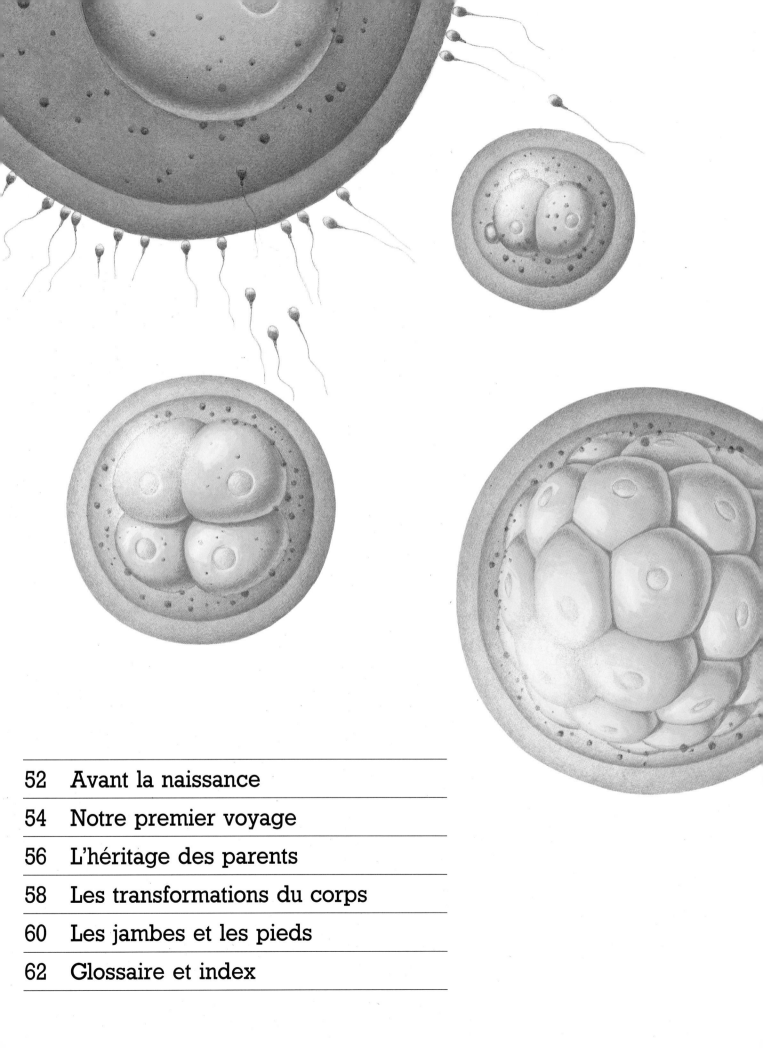

Une machine perfectionnée

Prenons une machine perfectionnée, une automobile, par exemple. C'est un assemblage compliqué de nombreux éléments différents. Et chacun de ces éléments joue un rôle bien précis.

Eh bien, notre corps fonctionne exactement comme une machine. Mais c'est une machine vivante capable de penser, d'imaginer et de diriger elle-même ses propres activités. Toutes les parties qui la composent se répartissent d'innombrables tâches spécialisées. Beaucoup de ces tâches dépendent de notre volonté : marcher, manger, lire un livre, par exemple. D'autres s'accomplissent toutes seules : même lorsque nous dormons, notre cœur bat et nous continuons de respirer. Essayez vous-même de trouver d'autres exemples.

Ce livre évoque les principales parties de notre corps et les différents éléments qui les composent. Mais aucune de ces parties n'est isolée. Toutes sont associées dans le fonctionnement de ce vaste ensemble qui constitue notre organisme. Commençons donc par jeter un coup d'œil sur cet ensemble.

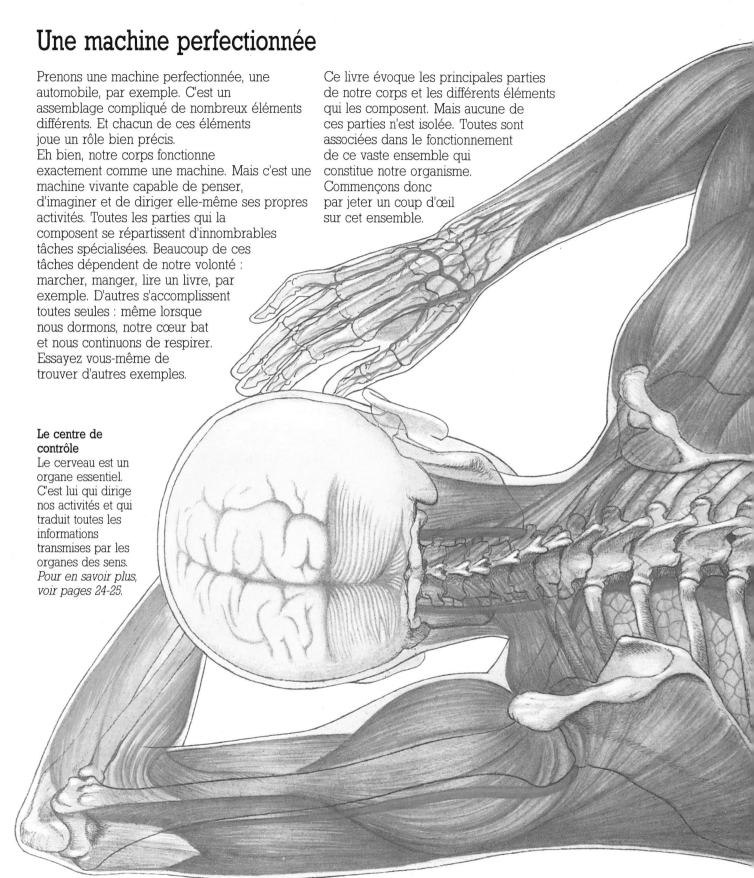

Le centre de contrôle
Le cerveau est un organe essentiel. C'est lui qui dirige nos activités et qui traduit toutes les informations transmises par les organes des sens. *Pour en savoir plus, voir pages 24-25.*

À l'écoute du monde
Les oreilles recueillent les sons qui passent à leur portée et les transmettent au cerveau. C'est également dans les oreilles que se trouvent les organes de l'équilibre. *Voir pages 32-33.*

Une pompe automatique
Situé dans notre poitrine, le cœur est un muscle creux qui fonctionne en permanence, de façon automatique, pour faire circuler le sang dans tout notre corps. *Pour en savoir plus, voir pages 40-41.*

Un instrument à tout faire

Le membre supérieur se compose du bras, de l'avant-bras et de la main. Grâce à cet ensemble articulé et aux doigts de la main qui peuvent se replier, nous pouvons effectuer d'innombrables tâches : soulever, porter, utiliser des outils, etc.
Pour en savoir plus, voir pages 42-43.

Un réseau de distribution

Le sang est un liquide rouge qui distribue aux différentes parties du corps leur ration de substances alimentaires et d'oxygène. Il est propulsé par le cœur dans des canalisations appelées artères. Et il revient vers le cœur par d'autres canalisations appelées veines.
Pour en savoir plus, voir pages 16-17.

La respiration

Notre poitrine renferme deux organes qui ressemblent un peu à de grosses éponges : les poumons. Lorsque nous inspirons, ils se gonflent d'air pour approvisionner le sang en oxygène. Puis ils se contractent pour expulser au-dehors le gaz carbonique dont le sang s'est débarrassé.
Pour en savoir plus, voir pages 38-39.

Un ensemble bien protégé

Comme on le voit ci-dessous, le corps humain est un assemblage de multiples organes de tailles diverses. Beaucoup de ces organes sont très délicats. Mais ils sont soutenus et protégés par toute une armature : les os. De plus, l'ensemble est entouré d'une enveloppe souple et imperméable : la peau.

Une armature solide

Le squelette se compose d'environ 200 os qui forment l'armature de notre corps. Sans eux, nous ne serions qu'une masse molle incapable de se tenir debout et de faire le moindre mouvement !
Pour en savoir plus, voir pages 18-21.

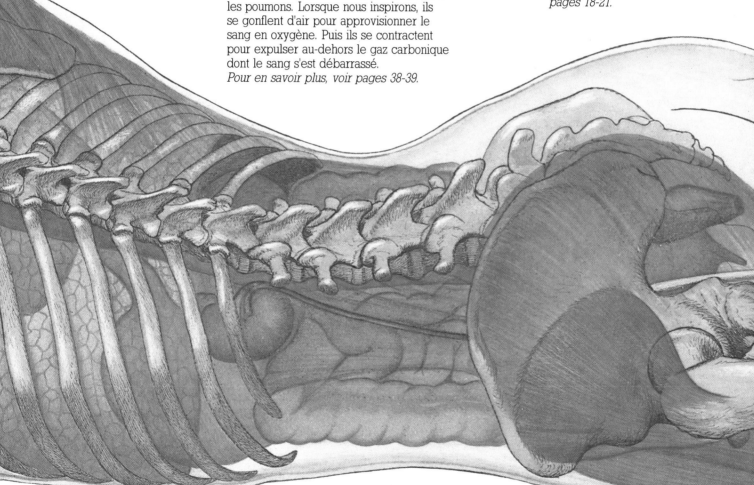

La digestion des aliments

À la sortie de l'estomac, la digestion se poursuit dans un long tuyau : les intestins. Une partie des aliments passe alors dans le sang qui en fait la distribution à travers tout notre corps. Le reste est évacué à l'extrémité du tube digestif. *Pour en savoir plus sur la digestion, voir pages 46-49.*

5

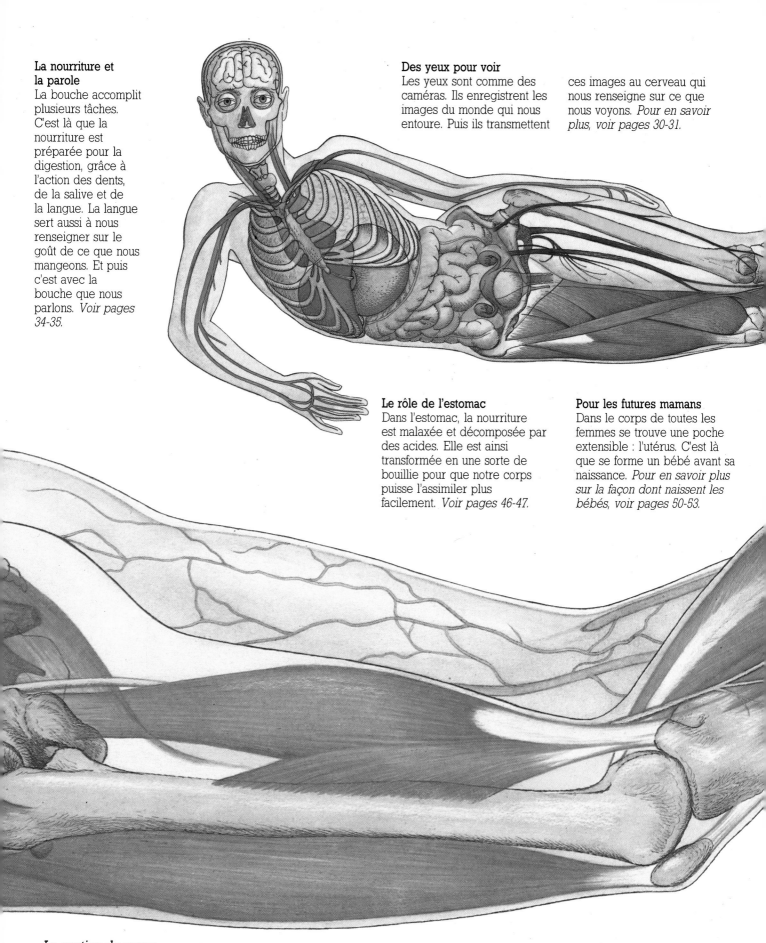

La nourriture et la parole
La bouche accomplit plusieurs tâches. C'est là que la nourriture est préparée pour la digestion, grâce à l'action des dents, de la salive et de la langue. La langue sert aussi à nous renseigner sur le goût de ce que nous mangeons. Et puis c'est avec la bouche que nous parlons. *Voir pages 34-35.*

Des yeux pour voir
Les yeux sont comme des caméras. Ils enregistrent les images du monde qui nous entoure. Puis ils transmettent ces images au cerveau qui nous renseigne sur ce que nous voyons. *Pour en savoir plus, voir pages 30-31.*

Le rôle de l'estomac
Dans l'estomac, la nourriture est malaxée et décomposée par des acides. Elle est ainsi transformée en une sorte de bouillie pour que notre corps puisse l'assimiler plus facilement. *Voir pages 46-47.*

Pour les futures mamans
Dans le corps de toutes les femmes se trouve une poche extensible : l'utérus. C'est là que se forme un bébé avant sa naissance. *Pour en savoir plus sur la façon dont naissent les bébés, voir pages 50-53.*

Le soutien du corps
Le membre inférieur se compose de la cuisse, de la jambe et du pied.

Vue de face

À supposer que le corps humain soit transparent, voici (à gauche) à quoi ressemblerait l'intérieur d'une femme, vue de face. De dos, la plupart des organes importants du corps seraient invisibles.

Un réseau de transmission

Notre corps est parcouru par un réseau de minces filaments : les nerfs. Certains nerfs transmettent au cerveau tout ce que nous ressentons. D'autres transmettent les ordres du cerveau qui mettent nos muscles en mouvement. *Pour en savoir plus, voir pages 12-13.*

Une enveloppe protectrice

La peau est une enveloppe élastique qui protège notre corps contre toutes sortes de dangers. Mais c'est elle, également, qui nous empêche d'avoir trop froid ou trop chaud. *Pour en savoir plus, voir pages 8-11.*

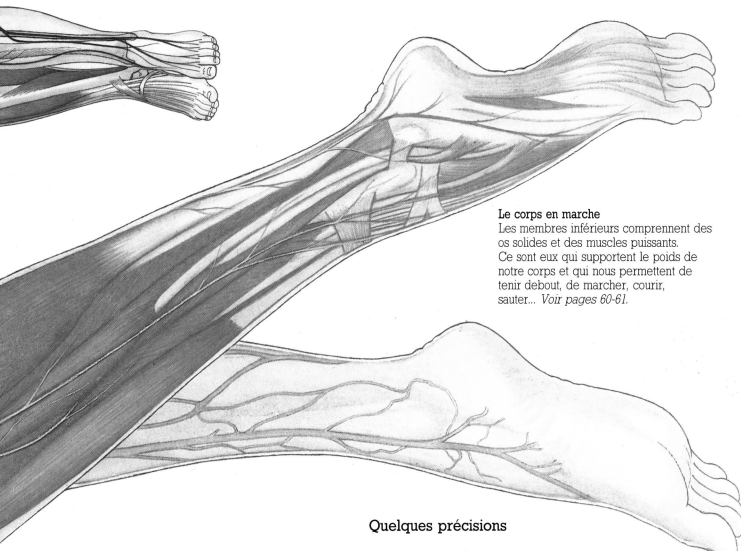

Le corps en marche

Les membres inférieurs comprennent des os solides et des muscles puissants. Ce sont eux qui supportent le poids de notre corps et qui nous permettent de tenir debout, de marcher, courir, sauter... *Voir pages 60-61.*

Les mouvements

C'est grâce aux muscles que s'effectuent tous les mouvements de notre corps. Selon les ordres qu'ils reçoivent du cerveau, ils se contractent ou se relâchent en déplaçant ainsi les os auxquels ils sont rattachés. *Pour en savoir plus, voir pages 18-21.*

Quelques précisions

Notre corps comprend
— 206 os
— plus de 600 muscles.

Sur le poids total du corps :
(proportions moyennes)
— les muscles : 40 %
— les os : 25 %
— le cerveau : 2 %.

Battements du cœur
— enfant : 100 à 120 par minute
— adulte : 70 par minute.

À la naissance, vous mesuriez environ
— 28 % de votre taille actuelle si vous êtes un garçon
— 30 % de votre taille actuelle si vous êtes une fille.

Le cerveau
— il comprend environ 11 milliards de cellules nerveuses
— chacune de ces cellules nerveuses est capable d'établir 25 000 liaisons avec d'autres cellules nerveuses.

L'eau
— elle représente 70 % de notre corps.

La peau

De tout notre corps, la peau est ce que nous connaissons le mieux, puisque nous pouvons la voir et la toucher directement. C'est une enveloppe imperméable, d'un côté comme de l'autre : elle empêche l'eau de pénétrer, mais aussi et surtout, c'est grâce à elle que l'intérieur de notre corps conserve toute son humidité. Or, sans cette humidité, nos organes se dessècheraient et ne pourraient plus fonctionner.

La peau est en outre une barrière efficace contre les microbes nuisibles à notre santé. Lorsque de tels microbes envahissent notre corps, c'est généralement par des orifices naturels (la bouche, le nez) ou accidentels (blessures).

Grâce à sa très grande souplesse, la peau s'adapte à tous nos mouvements, sans même que nous nous en rendions compte. C'est un vêtement sur mesure, parfaitement ajusté !

La peau est aussi un vêtement inusable : elle se renouvelle constamment *(voir page 10)*. Mieux encore, aux endroits où elle subit des frottements importants, la peau se renforce en s'épaississant : c'est le *cal* qui se forme à l'intérieur des mains de ceux qui manient la pelle et la pioche, par exemple.

La peau est aussi l'organe du toucher et elle permet à notre corps de conserver toujours une température à peu près égale *(voir page 11)*.

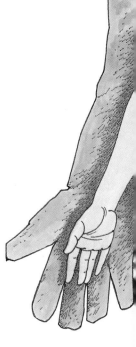

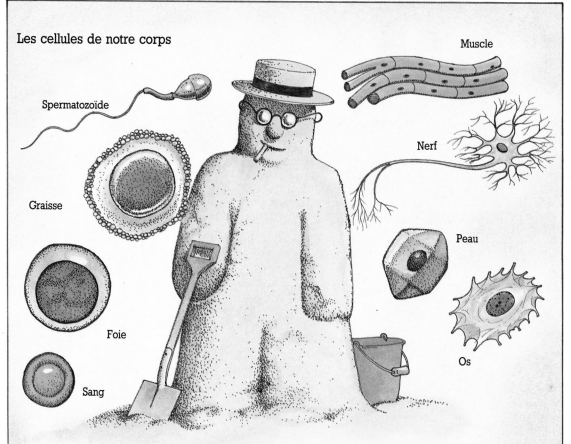

Les cellules de notre corps

Spermatozoïde

Muscle

Nerf

Graisse

Peau

Foie

Os

Sang

Regardez ce bonhomme construit sur une plage : il est formé par des milliers de petits grains de sable. Eh bien, notre corps se compose lui aussi de particules microscopiques : les cellules. Seulement, toutes ces cellules ne sont pas semblables. Il en existe de différentes sortes dont on voit des exemples ci-dessus. Les cellules qui constituent les diverses parties de notre corps (organes et tissus) sont en effet spécialisées selon le rôle qu'elles ont à jouer : cellules de la peau, des muscles, des os, etc. Certaines, comme celles du sang, ne durent que quelques semaines et sont ensuite remplacées. D'autres, les cellules nerveuses par exemple, peuvent vivre aussi longtemps que nous, mais ne sont pas remplacées si elles disparaissent. Notre corps se compose ainsi de dizaines de milliards de cellules.

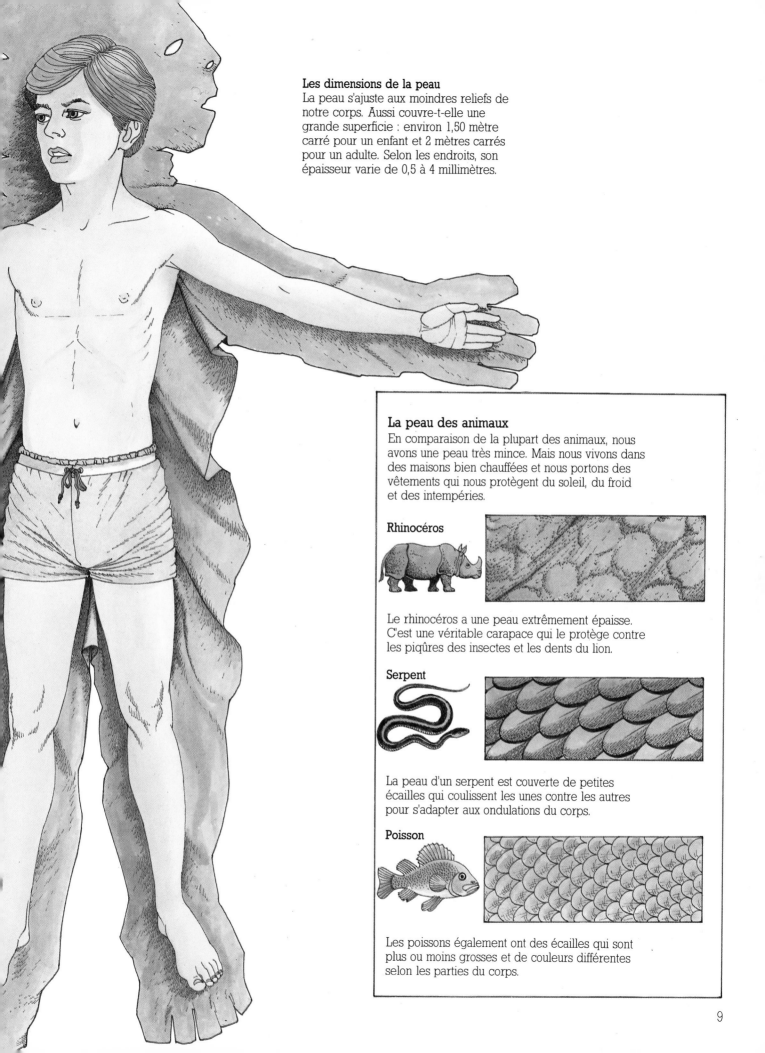

Les dimensions de la peau

La peau s'ajuste aux moindres reliefs de notre corps. Aussi couvre-t-elle une grande superficie : environ 1,50 mètre carré pour un enfant et 2 mètres carrés pour un adulte. Selon les endroits, son épaisseur varie de 0,5 à 4 millimètres.

La peau des animaux

En comparaison de la plupart des animaux, nous avons une peau très mince. Mais nous vivons dans des maisons bien chauffées et nous portons des vêtements qui nous protègent du soleil, du froid et des intempéries.

Rhinocéros

Le rhinocéros a une peau extrêmement épaisse. C'est une véritable carapace qui le protège contre les piqûres des insectes et les dents du lion.

Serpent

La peau d'un serpent est couverte de petites écailles qui coulissent les unes contre les autres pour s'adapter aux ondulations du corps.

Poisson

Les poissons également ont des écailles qui sont plus ou moins grosses et de couleurs différentes selon les parties du corps.

L'intérieur de la peau

La surface extérieure de la peau est uniquement formée de cellules mortes. Mais juste au-dessous, d'innombrables cellules bien vivantes ne cessent de se reproduire pour remplacer celles qui meurent et dont nous nous débarrassons. Car chaque jour, nous éliminons des millions de cellules mortes en faisant notre toilette, en changeant de vêtements et à l'occasion d'autres activités qui provoquent du frottement.

La partie supérieure de la peau, celle qui élimine en permanence des cellules mortes, s'appelle l'*épiderme*. Elle assure la protection de la couche vivante qui se trouve au-dessous, le *derme*. Le derme est constitué d'une substance élastique qui donne à la peau sa résistance et sa souplesse. Il est parcouru par de minuscules vaisseaux sanguins. Il renferme également un grand nombre de terminaisons nerveuses qui enregistrent toutes les sensations du toucher : formes, chaleur, froid, douleur. Et puis on y trouve les glandes productrices de la sueur et d'autres qui produisent un liquide huileux grâce auquel notre peau conserve son imperméabilité.

Un morceau de peau
La peau n'a pas partout la même épaisseur : elle est beaucoup plus fine par exemple sur le dessus du pied que sous le talon. Le fragment, très fortement grossi, que l'on voit ici provient du sommet du crâne. Il est traversé par des cheveux qui ont l'air aussi gros que des arbres !

À la surface
Les cellules de l'épiderme s'emboîtent les unes dans les autres comme les tuiles d'une toiture. Elles sont remplacées au fur et à mesure de leur disparition.

Un constant renouvellement
L'épiderme fabrique en permanence de nouvelles cellules qui s'épaississent progressivement, finissent par mourir et cèdent la place à d'autres.

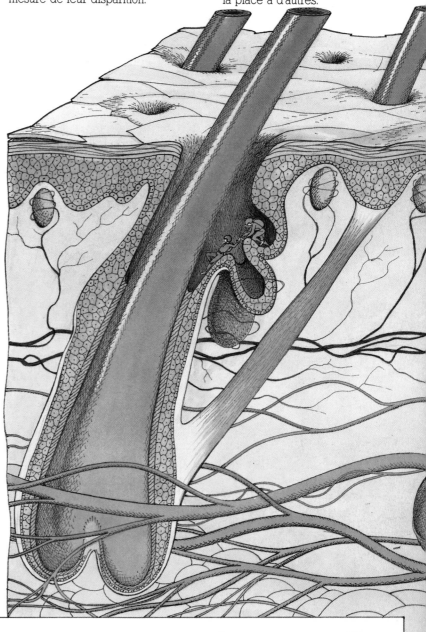

La couleur de la peau
La peau contient une substance colorante, la *mélanine*, qui la protège contre les brûlures du soleil. Lorsqu'elle est exposée longtemps au soleil, elle en fabrique davantage : c'est pourquoi nous bronzons. Et c'est aussi pourquoi la peau de certains peuples est plus sombre que celle des autres : elle contient davantage de mélanine. Mais sous la peau, quelle que soit sa couleur, tous les hommes sont fabriqués sur le même modèle !

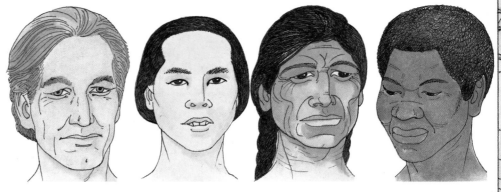

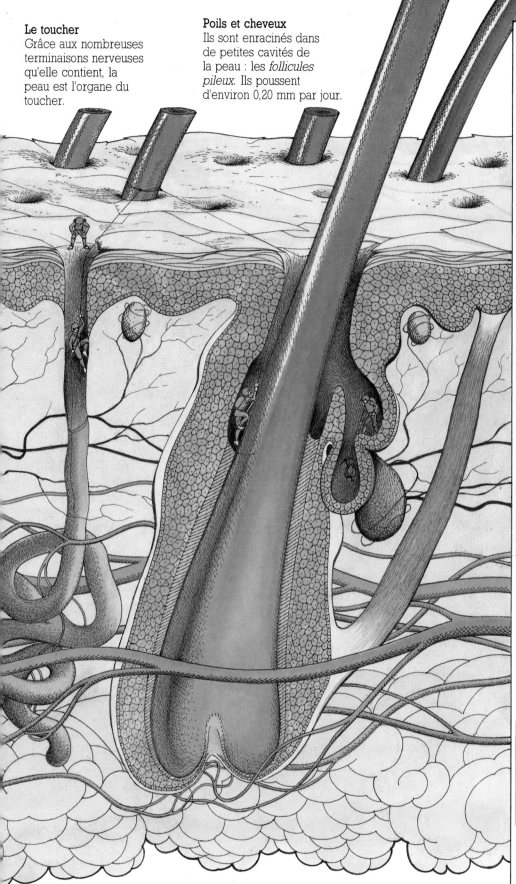

Le toucher
Grâce aux nombreuses terminaisons nerveuses qu'elle contient, la peau est l'organe du toucher.

Poils et cheveux
Ils sont enracinés dans de petites cavités de la peau : les *follicules pileux*. Ils poussent d'environ 0,20 mm par jour.

Les glandes de la sueur
La sueur est produite dans de minuscules tuyaux entortillés, les *glandes sudoripares*, qui communiquent avec l'extérieur par les pores de la peau.

De l'huile pour la peau
Près des poils, des glandes *(glandes sébacées)* produisent un liquide huileux qui conserve à la peau sa souplesse et son imperméabilité.

Ni trop chaud, ni trop froid
La circulation du sang dans la peau permet au corps de conserver toujours à peu près la même température, qui est normalement d'environ 37°.

Lorsque nous avons trop chaud, les vaisseaux sanguins de la peau se gonflent. Davantage de sang peut alors y circuler pour nous rafraîchir en éliminant une partie de sa chaleur.

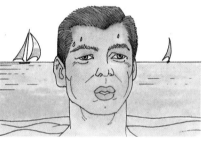

La transpiration est également un moyen d'éliminer de la chaleur. En s'évaporant à la surface de la peau, la sueur nous rafraîchit agréablement.

Lorsqu'il fait froid, les vaisseaux sanguins de la peau se rétrécissent. Il y circule alors moins de sang, ce qui permet à notre corps de conserver sa chaleur.

Les nerfs

Notre corps est parcouru en permanence, même pendant notre sommeil, par des signaux électriques. Il s'agit de signaux d'une très faible puissance. Mais ils suffisent à mettre nos muscles en mouvements et à nous renseigner sur tout ce qui se passe autour de nous. Ces signaux électriques sont ce qu'on appelle des influx nerveux.

Les influx nerveux circulent par un réseau de câbles et de fils, les nerfs, qui se ramifient dans toutes les parties de notre corps. Les nerfs sont reliés au cerveau qui est le poste de contrôle de ce vaste circuit *(voir page 24)*.

Les nerfs sont constitués par des cellules nerveuses, ou *neurones*. Notre corps en comprend des milliards. Chaque neurone est formé par un corps cellulaire entouré de courtes ramifications *(dendrites)* et prolongé par une longue fibre, l'*axone*. Tous les nerfs sont extrêmement minces (un centième de millimètre environ). Mais certains sont très longs : plus d'un mètre pour ceux qui vont jusqu'aux orteils !

Une solide protection

Les nerfs sont très fragiles et ne sont pas remplacés en cas de destruction. Mais ils sont bien protégés. Le cerveau est entouré par les solides os du crâne. Et les fibres nerveuses de la moelle épinière passent à l'intérieur d'un tunnel osseux flexible formé par les vertèbres de la colonne vertébrale. À partir de la colonne vertébrale, 31 paires de nerfs rachidiens se ramifient dans le reste du corps.

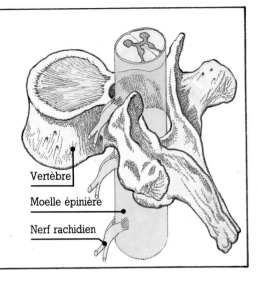

Vertèbre

Moelle épinière

Nerf rachidien

Le réflexe

Si notre main touche un objet brûlant, elle se retire aussitôt sans que notre volonté ait à intervenir : c'est un réflexe, déterminé par des nerfs qui agissent de façon automatique sans être commandés directement par le cerveau.

Un réseau de communication

Le système nerveux se ramifie à travers tout notre corps. Une partie fonctionne automatiquement (battements du cœur, respiration, etc.), l'autre est dirigée par notre volonté qui commande ainsi toutes sortes de gestes et d'activités.

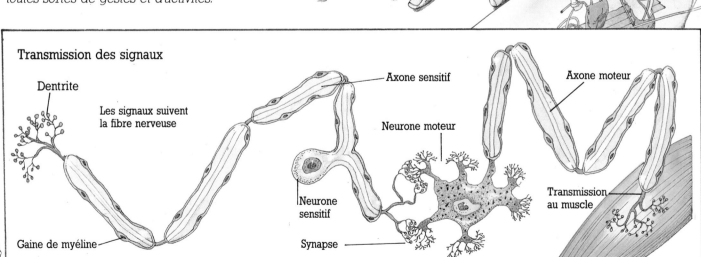

Transmission des signaux

Dentrite

Les signaux suivent la fibre nerveuse

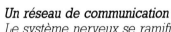

Axone sensitif

Axone moteur

Neurone moteur

Neurone sensitif

Gaine de myéline

Synapse

Transmission au muscle

On voit ici la liaison de deux nerfs : un neurone sensitif et un neurone moteur. L'un et l'autre sont entourés d'une gaine protectrice formée d'une substance graisseuse, la *myéline*. Les deux nerfs communiquent par l'intermédiaire de « postes frontière »

qu'on appelle des *synapses*. C'est là que les signaux transmis par le nerf sensitif sont enregistrés par le nerf moteur. Et celui-ci les transmet à son tour au muscle pour qu'il se contracte et qu'il produise ainsi un mouvement.

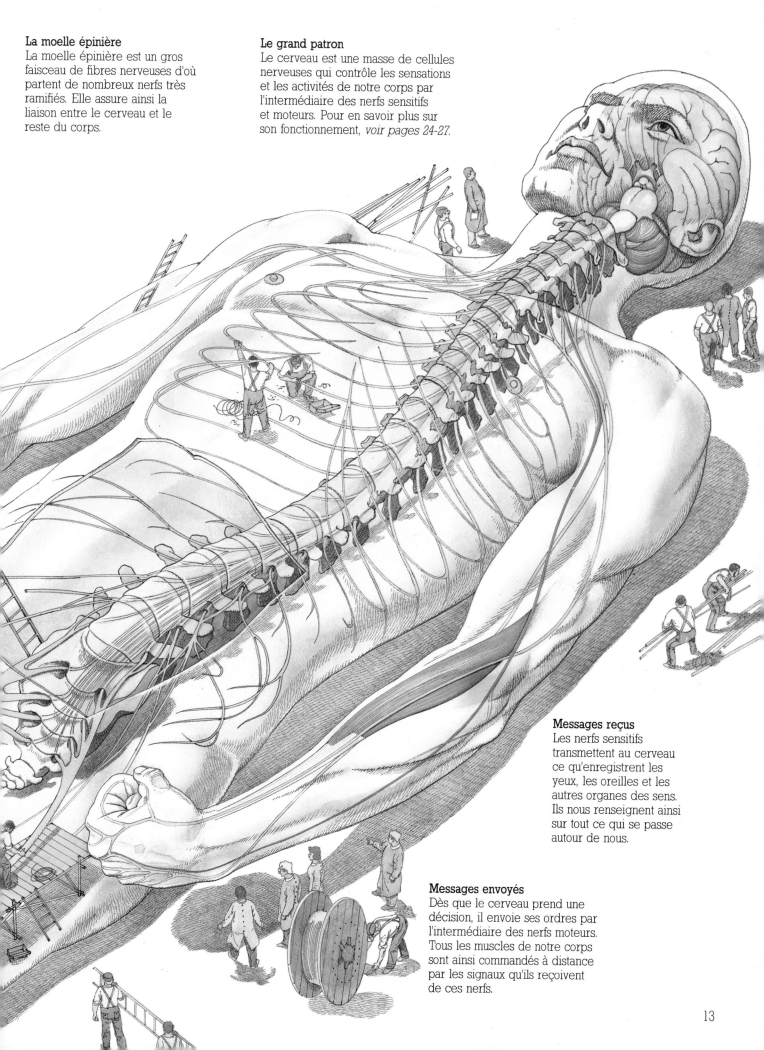

La moelle épinière
La moelle épinière est un gros faisceau de fibres nerveuses d'où partent de nombreux nerfs très ramifiés. Elle assure ainsi la liaison entre le cerveau et le reste du corps.

Le grand patron
Le cerveau est une masse de cellules nerveuses qui contrôle les sensations et les activités de notre corps par l'intermédiaire des nerfs sensitifs et moteurs. Pour en savoir plus sur son fonctionnement, *voir pages 24-27*.

Messages reçus
Les nerfs sensitifs transmettent au cerveau ce qu'enregistrent les yeux, les oreilles et les autres organes des sens. Ils nous renseignent ainsi sur tout ce qui se passe autour de nous.

Messages envoyés
Dès que le cerveau prend une décision, il envoie ses ordres par l'intermédiaire des nerfs moteurs. Tous les muscles de notre corps sont ainsi commandés à distance par les signaux qu'ils reçoivent de ces nerfs.

Muscles et mouvements

Les muscles représentent presque la moitié du poids total de notre corps. Il y en a partout, même dans la peau. C'est grâce à eux que s'accomplissent tous les mouvements, qu'il s'agisse de sauter ou de faire un clin d'œil, de la respiration ou des battements du cœur. Sans muscles, notre corps ne serait qu'une masse inerte. Lorsqu'un muscle se met au travail, il se contracte, c'est-à-dire qu'il devient plus court et plus épais. Or, en se raccourcissant, il tire sur les endroits auxquels il se rattache. Le grand muscle qui se trouve derrière la cuisse, par exemple, se rattache à la hanche et à l'arrière du genou : lorsqu'il se contracte, il tire et le genou se plie.

Les muscles ne savent faire qu'une seule chose : tirer. Ils sont incapables de pousser. Lorsque le muscle qui est situé derrière la cuisse se relâche, il ne repousse rien. Pour déplier le genou, il faut contracter le muscle qui se trouve sur le devant de la cuisse : il tire de son côté et la jambe se tend. Beaucoup de muscles travaillent ainsi par paires : l'un tire d'un côté et l'autre tire de l'autre côté.

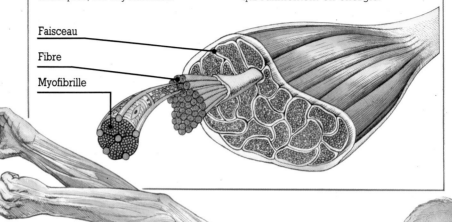

L'intérieur d'un muscle
Voici la coupe d'un muscle. Il est constitué de nombreuses fibres musculaires réunies en plusieurs faisceaux. Chaque fibre est elle-même formée de filaments élastiques, les *myofibrilles*.

Chaque muscle est équipé de terminaisons nerveuses qui contrôlent ses contractions. Il est également parcouru par de minuscules vaisseaux sanguins qui l'alimentent en énergie.

Faisceau

Fibre

Myofibrille

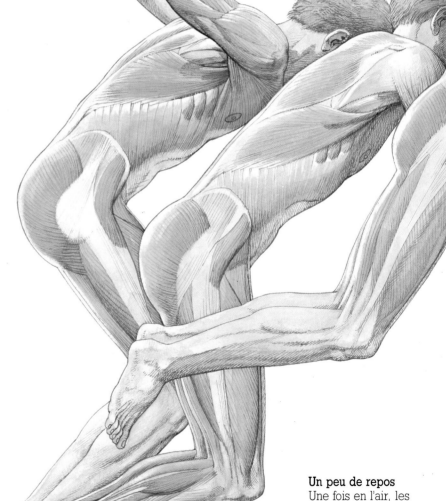

À pieds joints
Pour sauter, les muscles des jambes ne sont pas les seuls à travailler. Les bras sont projetés en arrière, puis en avant, le dos se tend et le cou se contracte pour maintenir la position de la tête. C'est un ensemble de mouvements qui mobilise de nombreux muscles en même temps.

En avant !
Pour décoller du sol, il faut mettre en action les muscles qui commandent les hanches, les genoux, les chevilles et les pieds. Ceux qui commandent les orteils sont situés sur le devant de la jambe, entre le genou et la cheville.

Pour prendre son élan
Il faut fléchir les jambes en contractant les mollets et les muscles situés sur le devant des cuisses. Il ne reste plus qu'à détendre brusquement les jambes pour pousser sur les pieds.

Un peu de repos
Une fois en l'air, les muscles des jambes se relâchent un bref instant. Puis ils se contractent de nouveau pour amortir le choc de l'atterrissage.

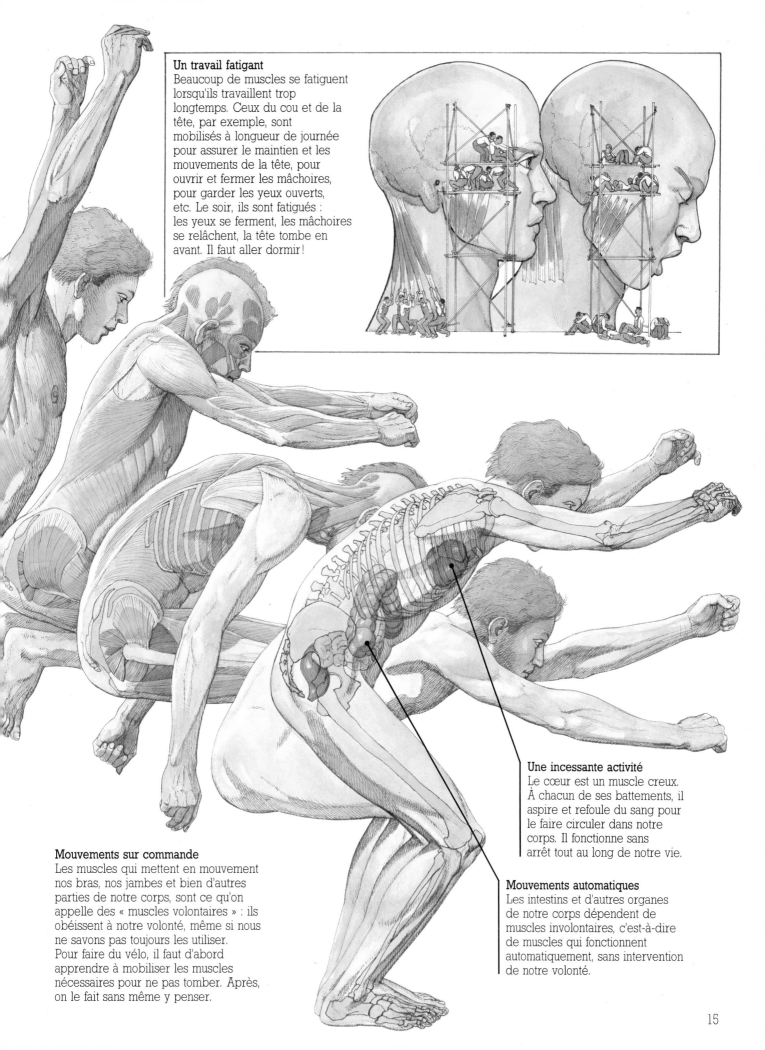

Un travail fatigant

Beaucoup de muscles se fatiguent lorsqu'ils travaillent trop longtemps. Ceux du cou et de la tête, par exemple, sont mobilisés à longueur de journée pour assurer le maintien et les mouvements de la tête, pour ouvrir et fermer les mâchoires, pour garder les yeux ouverts, etc. Le soir, ils sont fatigués : les yeux se ferment, les mâchoires se relâchent, la tête tombe en avant. Il faut aller dormir !

Une incessante activité

Le cœur est un muscle creux. À chacun de ses battements, il aspire et refoule du sang pour le faire circuler dans notre corps. Il fonctionne sans arrêt tout au long de notre vie.

Mouvements automatiques

Les intestins et d'autres organes de notre corps dépendent de muscles involontaires, c'est-à-dire de muscles qui fonctionnent automatiquement, sans intervention de notre volonté.

Mouvements sur commande

Les muscles qui mettent en mouvement nos bras, nos jambes et bien d'autres parties de notre corps, sont ce qu'on appelle des « muscles volontaires » : ils obéissent à notre volonté, même si nous ne savons pas toujours les utiliser. Pour faire du vélo, il faut d'abord apprendre à mobiliser les muscles nécessaires pour ne pas tomber. Après, on le fait sans même y penser.

La circulation du sang

Cinq litres de sang circulent en permanence dans notre corps. Ce liquide en mouvement accomplit un si grand nombre de tâches qu'il n'est pas possible de toutes les citer. Sa principale fonction est d'approvisionner nos organes en oxygène et en substances nutritives, tout en les débarrassant de leurs déchets.
Le sang transporte aussi bien d'autres substances et notamment des hormones qui contrôlent la croissance et les activités sexuelles. Il contient en outre des cellules spécialisées dans la lutte contre les maladies : les globules blancs. Et

puis, c'est grâce à lui que notre corps conserve toujours une température à peu près égale (voir page 11).
Le sang circule dans trois sortes de canalisations : les artères, les veines et les capillaires. Les artères le transportent depuis le cœur vers les organes. Les veines le ramènent vers le cœur. Quant aux capillaires, ce sont des canalisations microscopiques (un centième de millimètre de diamètre); ils se ramifient à l'intérieur des organes où ils assurent les échanges entre le sang artériel et le sang veineux.

Chacun son travail
Les veines et les artères sont parfaitement étanches : le sang ne peut s'en échapper. Mais les parois extrêmement fines des capillaires laissent filtrer les substances qui doivent s'échanger entre le sang et les organes.

La composition du sang
Plus de la moitié du sang est formée par un liquide, le *plasma*.
Le reste se compose de cellules spécialisées : globules rouges, globules blancs et plaquettes. Les *globules rouges* transportent l'oxygène. Les *globules blancs* détruisent les microbes et certains déchets. Quant aux *plaquettes*, elles interviennent en cas de blessure pour assurer la coagulation du sang dans la plaie. Une goutte de sang grosse comme une tête d'épingle contient environ 5 millions de globules rouges, 8 000 globules blancs et 200 000 plaquettes.

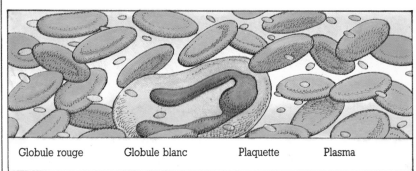

Globule rouge   Globule blanc   Plaquette   Plasma

La cicatrisation
Normalement, le sang ne sort pas des canalisations dans lesquelles il circule (1).
Mais en cas de blessure, il s'en échappe (2). Heureusement, de nombreuses plaquettes arrivent aussitôt dans la plaie où elles s'agglutinent les unes aux autres (3).
Elles forment ainsi une sorte de barrage qui empêche les globules rouges de passer (4). Puis ce barrage s'épaissit et durcit pour devenir une croûte (5) sous laquelle la plaie va pouvoir cicatriser (6).

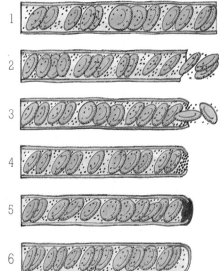

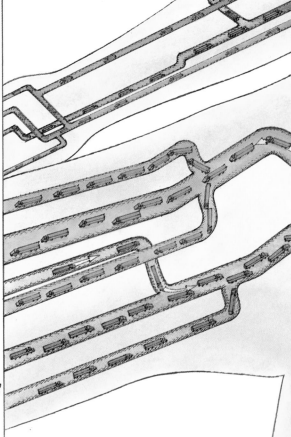

Un double circuit
Le sang joue à la fois le rôle de livreur à domicile et celui d'éboueur. Dans un sens (en rouge sur notre illustration), il distribue aux organes l'oxygène qui leur est nécessaire pour fonctionner. Et dans l'autre (en bleu), il les débarrasse du gaz carbonique et des autres déchets qu'ils produisent.

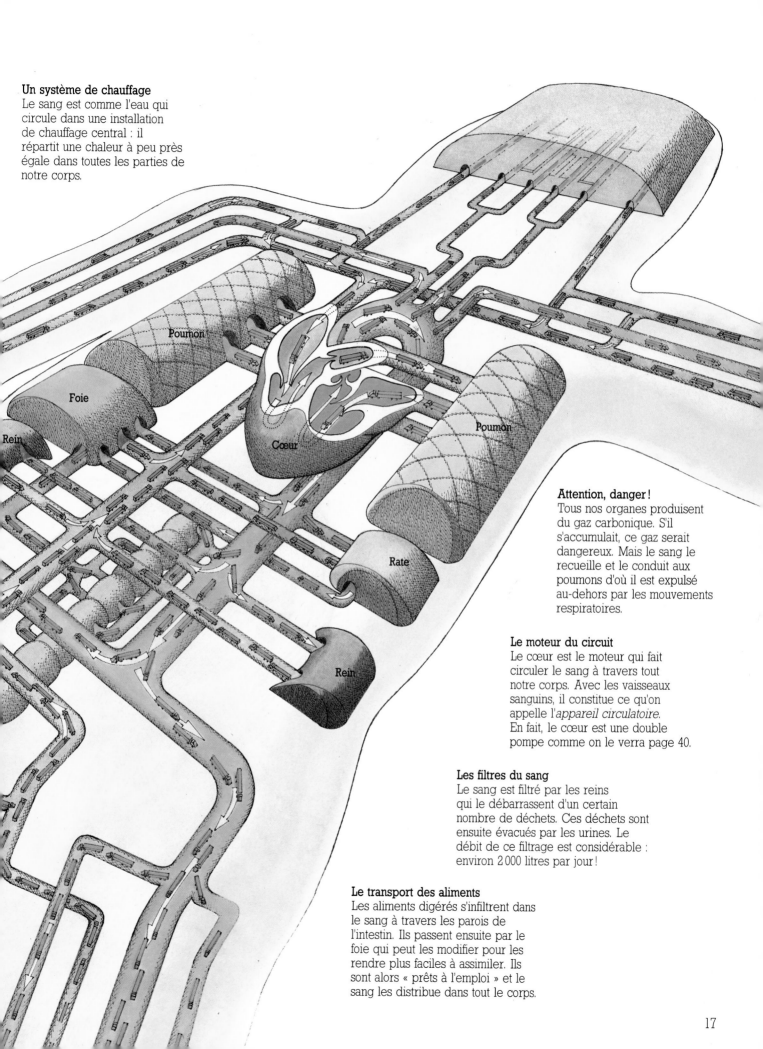

Un système de chauffage

Le sang est comme l'eau qui circule dans une installation de chauffage central : il répartit une chaleur à peu près égale dans toutes les parties de notre corps.

Poumon

Foie

Rein

Cœur

Poumon

Rate

Rein

Attention, danger !

Tous nos organes produisent du gaz carbonique. S'il s'accumulait, ce gaz serait dangereux. Mais le sang le recueille et le conduit aux poumons d'où il est expulsé au-dehors par les mouvements respiratoires.

Le moteur du circuit

Le cœur est le moteur qui fait circuler le sang à travers tout notre corps. Avec les vaisseaux sanguins, il constitue ce qu'on appelle l'*appareil circulatoire*. En fait, le cœur est une double pompe comme on le verra page 40.

Les filtres du sang

Le sang est filtré par les reins qui le débarrassent d'un certain nombre de déchets. Ces déchets sont ensuite évacués par les urines. Le débit de ce filtrage est considérable : environ 2 000 litres par jour !

Le transport des aliments

Les aliments digérés s'infiltrent dans le sang à travers les parois de l'intestin. Ils passent ensuite par le foie qui peut les modifier pour les rendre plus faciles à assimiler. Ils sont alors « prêts à l'emploi » et le sang les distribue dans tout le corps.

Les os

Les os sont les éléments rigides qui soutiennent notre corps : sans eux, nous ne serions qu'une masse molle incapable de tenir debout. Notre squelette se compose d'environ 200 os qui ont des dimensions et des formes très variées. Le plus grand est l'os de la cuisse, le fémur. Les plus petits sont les osselets qui se trouvent à l'intérieur des oreilles. Quant à leur forme, elle dépend du rôle qu'ils ont à jouer. Presque tous les os sont reliés les uns aux autres par des articulations *(voir pages 60-61)* qui leur permettent de se déplacer grâce aux muscles auxquels ils sont rattachés *(pages 14-15)*.

Selon leur forme, on répartit les os en trois catégories : os longs, os plats et os courts. Ceux des bras et des jambes, par exemple, sont des os longs. Ils sont reliés par des articulations très mobiles qui leur permettent d'effectuer de nombreux mouvements. Certains os plats, comme les omoplates, servent de points d'ancrage à des muscles puissants ; d'autres comme ceux du crâne, ont surtout un rôle de bouclier. Quant aux os courts, il y en a de plusieurs sortes. Les 26 vertèbres qui composent la colonne vertébrale, par exemple, assurent la protection de la moelle épinière *(page 12)* et sont en même temps le soutien solide et flexible de notre dos.

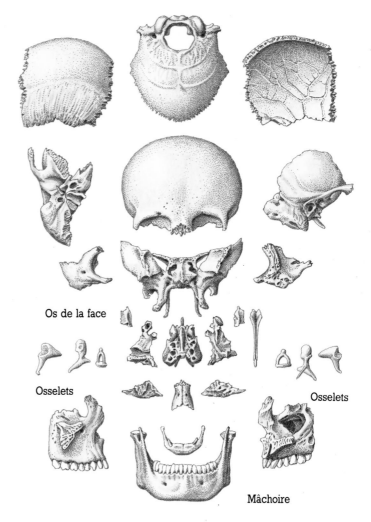

Os de la face

Osselets

Osselets

Mâchoire

Combien d'os ?

Essayez de compter tous les os qui figurent sur ces deux pages. Le corps d'un adulte en comprend, en principe, 206. Mais leur nombre peut varier, car il arrive que certains os se soudent pour former ainsi des os plus grands, mais moins nombreux.

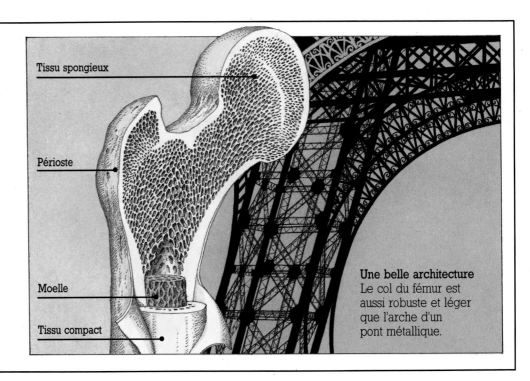

L'intérieur d'un os

Les os sont des organes vivants, parcourus par des nerfs et des vaisseaux sanguins. Un os long, comme le fémur que l'on voit ci-contre, se compose de plusieurs parties. Au centre se trouve la moelle ; c'est là que se fabriquent les globules rouges du sang. La moelle est entourée d'un tissu compact, lui-même recouvert d'une sorte d'écorce, le périoste. Les deux extrémités de l'os sont formées d'une substance dure mais très légère parce qu'elle est percée de trous minuscules : le tissu spongieux.

Tissu spongieux

Périoste

Moelle

Tissu compact

Une belle architecture
Le col du fémur est aussi robuste et léger que l'arche d'un pont métallique.

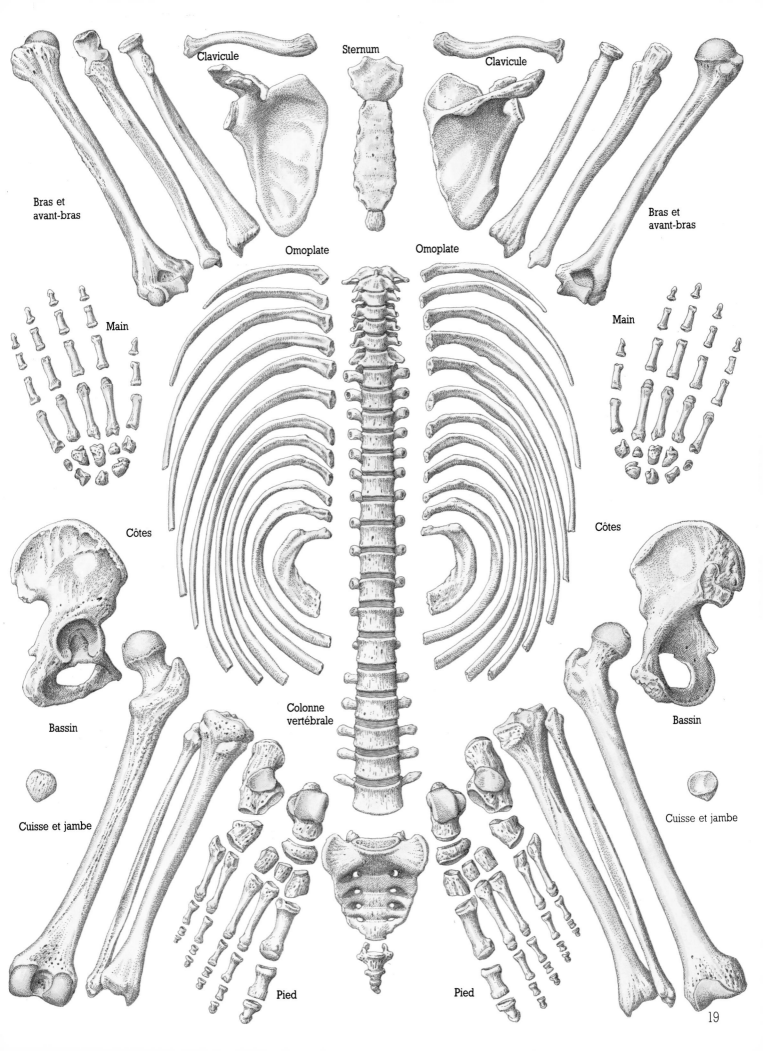

Clavicule

Sternum

Clavicule

Bras et
avant-bras

Omoplate

Omoplate

Bras et
avant-bras

Main

Main

Côtes

Côtes

Bassin

Colonne
vertébrale

Bassin

Cuisse et jambe

Cuisse et jambe

Pied

Pied

19

La charpente de notre corps

Pour qu'un immeuble ou un pont puisse tenir debout, il faut qu'il soit soutenu par une solide charpente. Cette charpente se compose d'éléments particulièrement résistants mais dont la taille varie selon le rôle qu'ils ont à jouer : il y a des piliers massifs pour les parties les plus lourdes et de légères poutrelles aux endroits qui nécessitent davantage d'élasticité.
Eh bien, notre corps lui aussi est équipé d'une solide charpente : le squelette.
Mais les os qui le composent ont une supériorité sur les piliers de béton et les poutres métalliques : ils sont vivants. Ainsi, par exemple, ils augmentent de taille au cours de notre croissance. De même, lorsqu'un os se brise (fracture), il est capable de se réparer tout seul en ressoudant les parties rompues. Et puis les os gardent en réserve toutes sortes de substances, qu'ils peuvent fournir à d'autres organes lorsque ceux-ci en ont besoin. Enfin, comme on l'a vu au chapitre précédent, c'est dans les os que se fabriquent les globules rouges du sang.

Soutien et protection
Le squelette est une armature articulée (voir pages 60-61), *sinon notre corps serait incapable d'effectuer le moindre mouvement. Il sert à soutenir nos organes et notamment les muscles qui se rattachent aux os par des ligaments. Mais il assure aussi la protection des parties molles et fragiles de notre corps.*

Des nerfs bien protégés
Des nerfs et des vaisseaux sanguins traversent les os. Dans les os longs des bras et des jambes, ils sont situés au cœur de la partie centrale, à l'intérieur de minuscules canaux. S'ils n'étaient pas protégés ainsi, ils risqueraient d'être écrasés par le frottement des articulations.

Sans effort
Les os de nos membres sont relativement minces sur toute une partie de leur longueur. Ils sont ainsi assez légers pour qu'on puisse les déplacer sans difficulté.

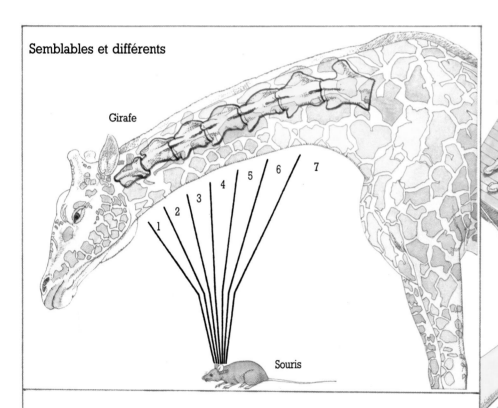

Semblables et différents

Girafe

1 2 3 4 5 6 7

Souris

Les vertèbres cervicales (celles du cou) sont au nombre de sept, chez l'homme comme chez la plupart des mammifères, qu'il s'agisse de la girafe au long cou ou de la petite souris. Mais, bien sûr, la taille de ces vertèbres, elle, varie.

Onze pour un
Chacune des deux parties du bassin se compose de trois os soudés. Avec les cinq os soudés du sacrum *(page 44)* elles forment ainsi un assemblage de onze éléments.

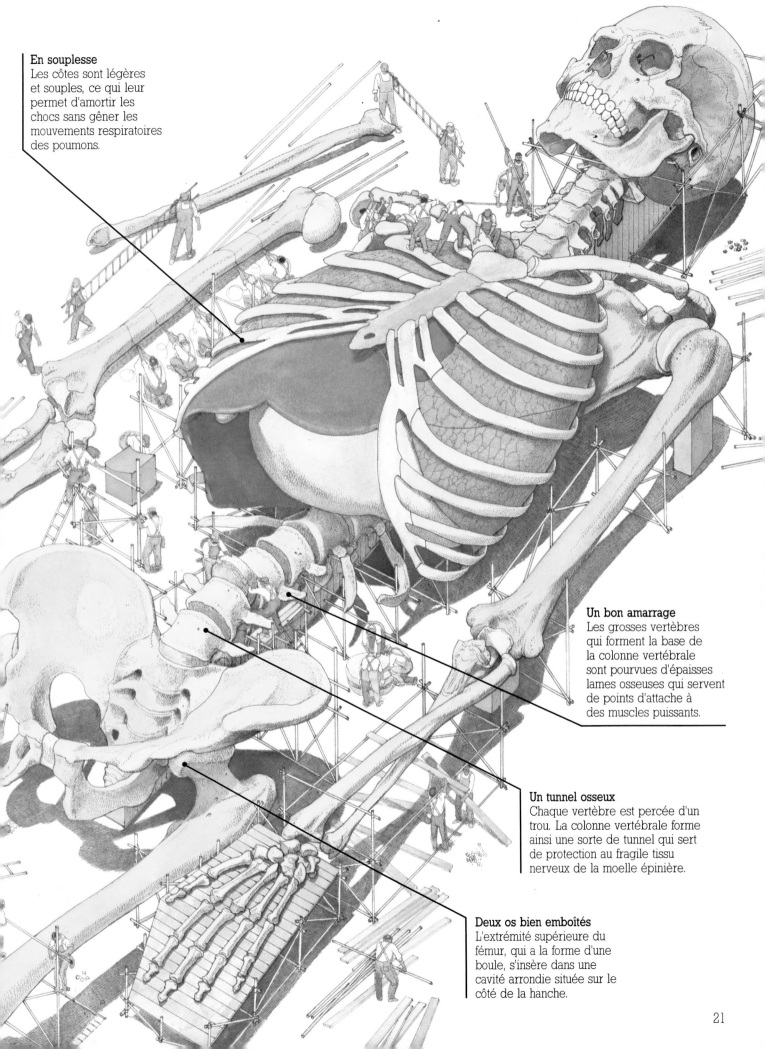

En souplesse
Les côtes sont légères
et souples, ce qui leur
permet d'amortir les
chocs sans gêner les
mouvements respiratoires
des poumons.

Un bon amarrage
Les grosses vertèbres
qui forment la base de
la colonne vertébrale
sont pourvues d'épaisses
lames osseuses qui servent
de points d'attache à
des muscles puissants.

Un tunnel osseux
Chaque vertèbre est percée d'un
trou. La colonne vertébrale forme
ainsi une sorte de tunnel qui sert
de protection au fragile tissu
nerveux de la moelle épinière.

Deux os bien emboîtés
L'extrémité supérieure du
fémur, qui a la forme d'une
boule, s'insère dans une
cavité arrondie située sur le
côté de la hanche.

21

La tête

Penser, voir, entendre, boire, manger, inspirer de l'air, tout cela se passe dans la tête où sont également situés les organes du goût et de l'odorat. Il y a d'ailleurs de bonnes raisons pour que les principaux organes des sens (les yeux, le nez et la langue) soient associés à la bouche lorsque nous mangeons : ils nous renseignent sur l'aspect, l'odeur et

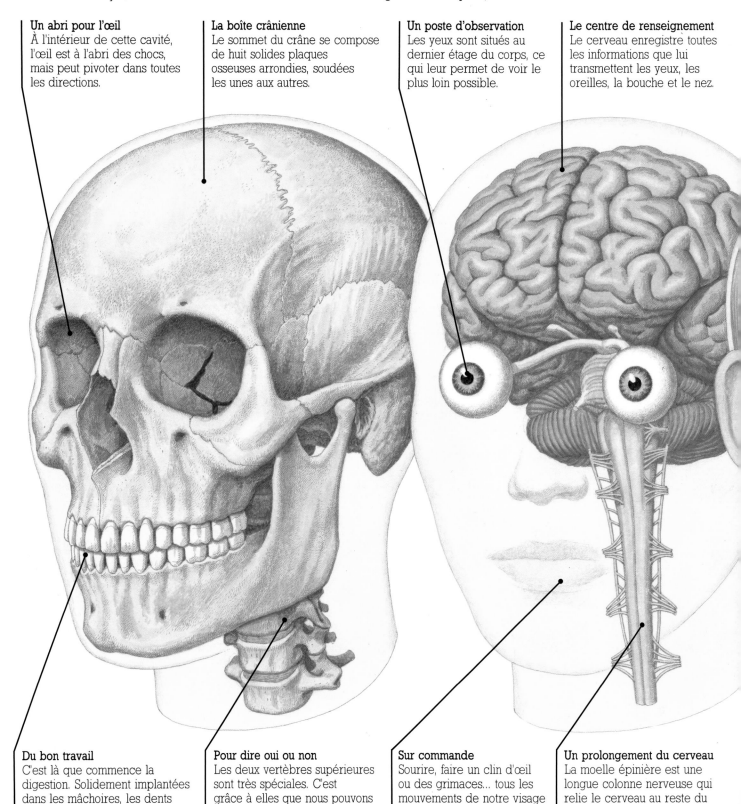

Un abri pour l'œil
À l'intérieur de cette cavité, l'œil est à l'abri des chocs, mais peut pivoter dans toutes les directions.

La boîte crânienne
Le sommet du crâne se compose de huit solides plaques osseuses arrondies, soudées les unes aux autres.

Un poste d'observation
Les yeux sont situés au dernier étage du corps, ce qui leur permet de voir le plus loin possible.

Le centre de renseignement
Le cerveau enregistre toutes les informations que lui transmettent les yeux, les oreilles, la bouche et le nez.

Du bon travail
C'est là que commence la digestion. Solidement implantées dans les mâchoires, les dents découpent et broient les aliments pour que nous puissions les avaler facilement.

Pour dire oui ou non
Les deux vertèbres supérieures sont très spéciales. C'est grâce à elles que nous pouvons remuer la tête de haut en bas et de droite à gauche.

Sur commande
Sourire, faire un clin d'œil ou des grimaces... tous les mouvements de notre visage sont contrôlés par des nerfs reliés au cerveau.

Un prolongement du cerveau
La moelle épinière est une longue colonne nerveuse qui relie le cerveau au reste du corps. Chez un adulte, elle mesure environ 45 cm de long.

le goût des aliments, pour nous éviter ainsi d'avaler quelque chose de mauvais qui pourrait nous rendre malade. Il y a aussi de bonnes raisons pour que la tête soit perchée au sommet du corps. C'est en effet le meilleur endroit pour écouter et regarder ce qui se passe autour de nous et pour respirer. Si la tête se trouvait près des pieds, nous ne pourrions pas voir bien loin et nous respirerions surtout de la poussière !

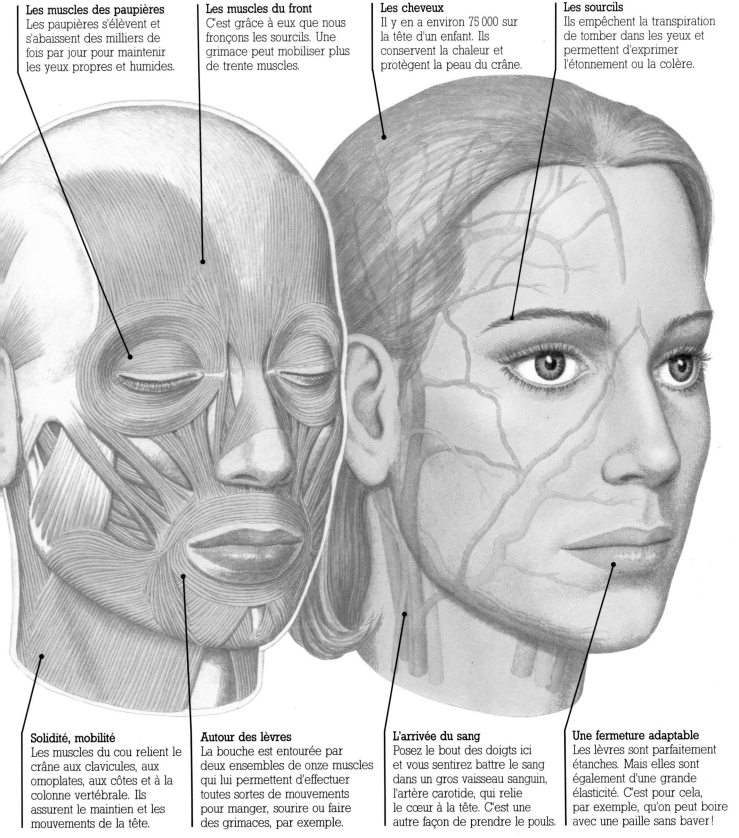

Les muscles des paupières
Les paupières s'élèvent et s'abaissent des milliers de fois par jour pour maintenir les yeux propres et humides.

Les muscles du front
C'est grâce à eux que nous fronçons les sourcils. Une grimace peut mobiliser plus de trente muscles.

Les cheveux
Il y en a environ 75 000 sur la tête d'un enfant. Ils conservent la chaleur et protègent la peau du crâne.

Les sourcils
Ils empêchent la transpiration de tomber dans les yeux et permettent d'exprimer l'étonnement ou la colère.

Solidité, mobilité
Les muscles du cou relient le crâne aux clavicules, aux omoplates, aux côtes et à la colonne vertébrale. Ils assurent le maintien et les mouvements de la tête.

Autour des lèvres
La bouche est entourée par deux ensembles de onze muscles qui lui permettent d'effectuer toutes sortes de mouvements pour manger, sourire ou faire des grimaces, par exemple.

L'arrivée du sang
Posez le bout des doigts ici et vous sentirez battre le sang dans un gros vaisseau sanguin, l'artère carotide, qui relie le cœur à la tête. C'est une autre façon de prendre le pouls.

Une fermeture adaptable
Les lèvres sont parfaitement étanches. Mais elles sont également d'une grande élasticité. C'est pour cela, par exemple, qu'on peut boire avec une paille sans baver !

Le cerveau

Autrefois, on croyait que le cœur dirigeait toutes les activités du corps et qu'il contrôlait même nos émotions et nos pensées. C'est pour cela qu'on utilise des expressions comme « apprendre par cœur » ou « avoir bon cœur ». Mais aujourd'hui, on sait que le cœur n'est rien d'autre qu'une pompe musculaire. Et l'on sait aussi qu'il est dirigé par le cerveau, comme tout le reste de notre corps.

Ce que nous appelons le cerveau est en réalité un ensemble, l'encéphale, dont le cerveau est la plus grosse partie. C'est une masse d'un gris rosâtre formée par des milliards de cellules nerveuses étroitement enchevêtrées. Son poids est d'environ 1 500 grammes. On est encore loin d'avoir tout compris de son fonctionnement, mais on en sait déjà beaucoup.

Le cerveau ne représente qu'un cinquantième du poids total de notre corps. Mais à lui seul, il utilise près du cinquième de notre énergie. Car cet extraordinaire organe a des activités infiniment nombreuses et compliquées, qui laissent loin derrière lui le plus perfectionné des ordinateurs. Il est le centre de la mémoire, des sensations, des émotions. C'est à lui que nous devons de penser, d'apprendre, d'imaginer, bref, c'est à lui que nous devons notre intelligence et notre personnalité.

L'intérieur du cerveau

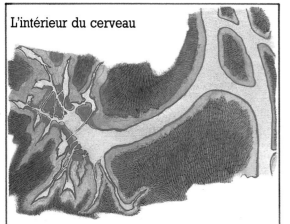

Notre cerveau se compose d'environ 11 milliards de cellules nerveuses spécialisées dans un très grand nombre de tâches différentes. Chacune de ces cellules peut transmettre des messages à d'autres cellules par l'intermédiaire de ses dendrites *(voir page 12)*. Et comme chaque cellule nerveuse peut être reliée à des milliers d'autres, la quantité de messages qui circulent ainsi dépasse tout ce que l'on peut imaginer.

La direction générale de notre corps

Dans une entreprise, il y a une direction générale, avec des bureaux où l'on accomplit des tâches différentes. Eh bien, le cerveau est un peu la direction générale de notre corps. Mais le travail n'y est pas aussi nettement réparti que dans les bureaux d'une entreprise.

La mémoire

On ne sait pas très bien comment fonctionne notre mémoire. Le cerveau l'enregistre peut-être sous forme de substances chimiques. Ou peut-être s'agit-il de circuits nerveux qui relient certaines cellules.

Un centre de tri

Situé au cœur du cerveau, le thalamus reçoit toutes les sensations de notre corps et en fait le tri, pour les transmettre aux différentes parties spécialisées du cerveau.

Un pilote automatique

Les battements du cœur, les mouvements respiratoires et la digestion sont des fonctions automatiques, indépendantes de notre volonté. Elles sont contrôlées par le tronc cérébral qui relie le cerveau à la moelle épinière.

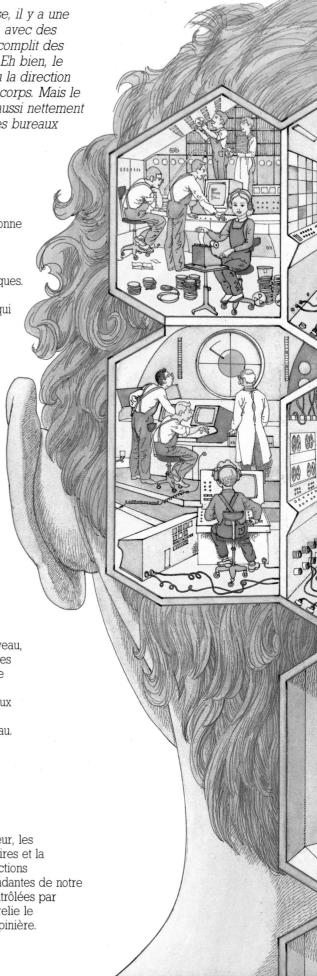

Un poste de contrôle

La principale partie de notre cerveau, c'est le cortex *(voir pages suivantes)*. C'est là que sont enregistrées toutes les sensations de notre corps. Et c'est là que partent les messages de notre volonté.

Messages reçus

Chaque minute, le cerveau reçoit des millions de messages provenant des organes des sens. Certains sont simplement enregistrés dans la mémoire, d'autres provoquent des réactions immédiates sous forme d'ordres envoyés à des muscles.

Un vaste circuit

La moelle épinière relie le cerveau au reste du corps. Le cerveau et la moelle épinière constituent ce qu'on appelle le *système nerveux central*. À partir de cet ensemble se ramifient de nombreux nerfs qui forment le *système nerveux périphérique*. De tout cela dépendent nos sensations et nos activités volontaires.

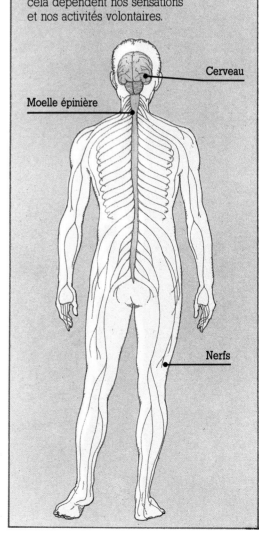

Cerveau

Moelle épinière

Nerfs

Messages envoyés

Chaque minute, le cerveau envoie des millions de messages à des muscles pour diriger leurs mouvements. Son travail augmente considérablement chaque fois que nous apprenons à faire quelque chose de nouveau : monter à bicyclette, par exemple, ou grimper à la corde.

Le plan du cerveau

La principale partie du cerveau est
l'écorce de matière grise qui l'entoure : le
cortex. Or, les savants ont découvert que
ce cortex se divisait en zones spécialisées :
les unes reçoivent des messages
provenant de différentes parties du corps,
d'autres envoient les impulsions nerveuses
qui commandent certaines activités.
On peut ainsi établir une sorte de plan
du cortex, avec la répartition de ces
zones ou centres.

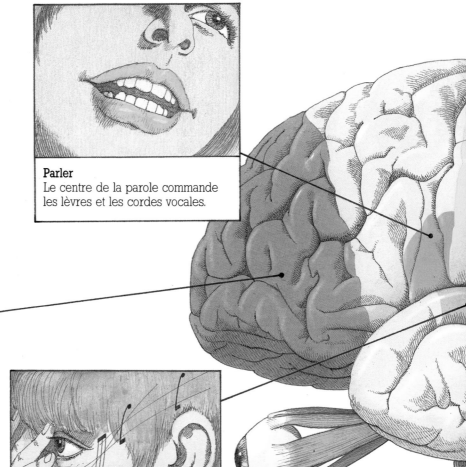

Parler
Le centre de la parole commande
les lèvres et les cordes vocales.

Penser
Nos pensées prennent naissance
sur le devant du cortex.

Les centres de commande
*Les principaux centres de commande sont
représentés ici sur la partie gauche
du cerveau, avec le cervelet (en rouge)
et le tronc cérébral (en bleu). L'œil
est à sa place normale.*

Entendre
Les sons captés par les oreilles
sont interprétés ici.

Les deux côtés du cerveau
La moitié gauche du cerveau contrôle la partie droite du corps
et inversement. En effet, les nerfs qui relient le cerveau à la
moelle épinière se croisent en changeant ainsi de côté :
lorsque nous levons le bras gauche, par exemple, c'est sous
l'impulsion d'un centre de commande situé dans la moitié
droite du cerveau. Or, les deux parties du cerveau n'ont pas
la même puissance de travail. Lorsque la partie gauche domine,
elle prédispose généralement à manier les mots et les
chiffres, à résoudre les problèmes. La partie droite est plutôt
celle des dons artistiques et musicaux, de la créativité.

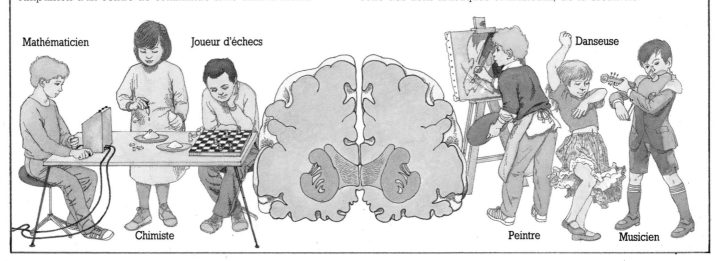

Mathématicien   Joueur d'échecs   Danseuse

Chimiste   Peintre   Musicien

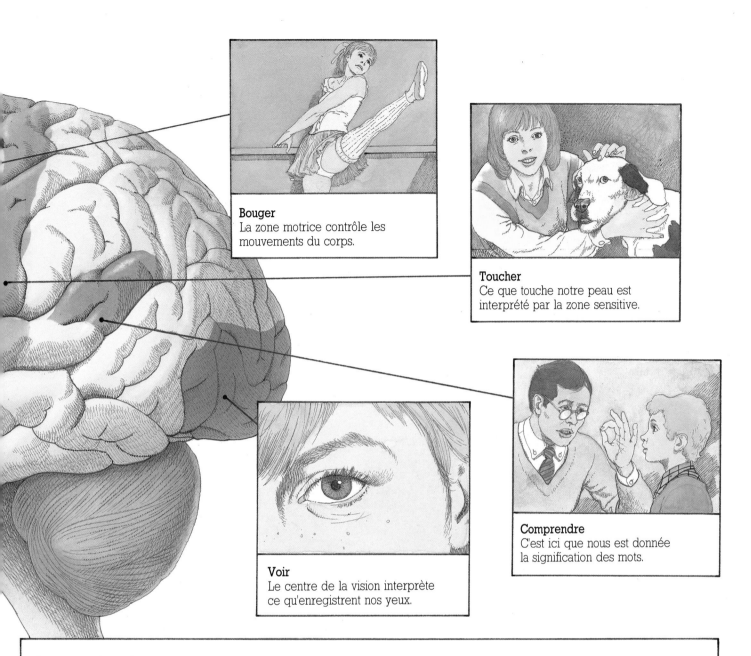

Bouger
La zone motrice contrôle les mouvements du corps.

Toucher
Ce que touche notre peau est interprété par la zone sensitive.

Voir
Le centre de la vision interprète ce qu'enregistrent nos yeux.

Comprendre
C'est ici que nous est donnée la signification des mots.

Le cerveau des animaux
Chez les animaux, le cerveau est plus ou moins développé selon l'importance des activités qu'il doit contrôler. C'est ainsi qu'on distingue des animaux inférieurs et des animaux supérieurs.

Serpent
Le cerveau du serpent est rudimentaire. Il contrôle essentiellement les grandes fonctions vitales.

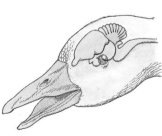

Oiseau
Chez les oiseaux, la partie centrale du cerveau est la plus développée. C'est elle qui contrôle les mouvements.

Mammifère
Grâce aux capacités de son cerveau, le chat témoigne dans son comportement d'une certaine forme d'intelligence.

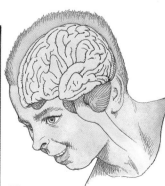

L'homme
Nous devons notre intelligence au développement de notre cerveau, qui nous permet de réfléchir, d'imaginer et d'agir pour créer toutes sortes de choses.

Les sens, le toucher

Voir, entendre, sentir, goûter et toucher
sont autant de façons de nous renseigner
sur le monde extérieur. C'est ce que l'on
appelle les cinq sens. Les principaux
organes de nos sens sont les yeux, les
oreilles, le nez, la langue et la peau.
En fait, ce n'est pas seulement cinq
sens que nous avons, mais davantage. Le
toucher nous procure à lui seul plusieurs
sensations différentes : pression légère
ou profonde, chaud ou froid, mouvements
et vibrations, douleur...
Nos muscles eux-mêmes nous transmettent
un certain nombre « d'impressions » sur
leurs activités : les yeux fermés, nous savons
quelle est la position de notre corps,
celle des bras et des jambes.
Et puis, il y a l'équilibre, un sens
bien particulier, qui nous permet de nous
tenir debout et de nous déplacer sans tomber.
Les organes de l'équilibre sont situés
dans l'oreille. Mais ils travaillent en
association avec la vue et avec les
sensations enregistrées par la peau et les
muscles (la plante des pieds notamment).

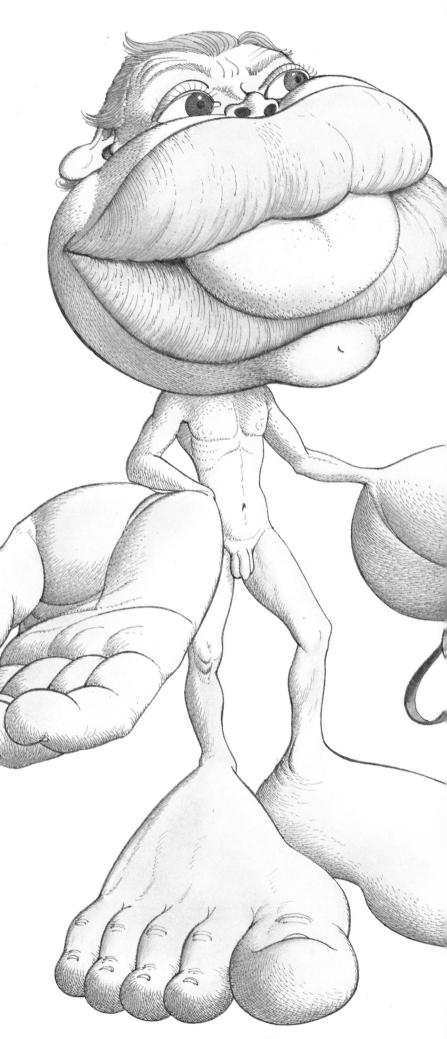

Les zones de sensibilité

*La peau n'a pas partout la même
sensibilité. Certaines zones, en effet,
sont beaucoup plus riches que d'autres en
terminaisons nerveuses. Le personnage que
l'on voit ci-contre paraît monstrueux.
C'est parce que les différentes parties
de son corps sont représentées en
proportion de leur sensibilité. On voit
par exemple que les doigts, les orteils
et les lèvres sont des zones
particulièrement sensibles.*

Le toucher : un sens multiple

La peau ne nous renseigne pas seulement sur la forme et la texture de ce que nous touchons. Elle renferme de nombreuses terminaisons nerveuses qui nous procurent aussi d'autres sensations.

Elle nous permet par exemple de faire la différence entre le chaud et le froid, entre ce qui est sec et ce qui est humide. La peau est également sensible à la pression sous ses différentes formes. En marchant sur une plage, la légère pression de nos pieds sur le sable est plutôt agréable. Mais ce n'est plus du tout pareil si notre corps exerce une forte pression sur des galets. Cela peut même devenir douloureux. En fait, la douleur est presque toujours due à l'exagération d'une de nos sensations : se brûler, c'est éprouver une sensation exagérée de chaleur, recevoir un coup, c'est subir une pression brutale et violente. La douleur est utile : c'est un signal d'alarme qui nous prévient d'un danger.

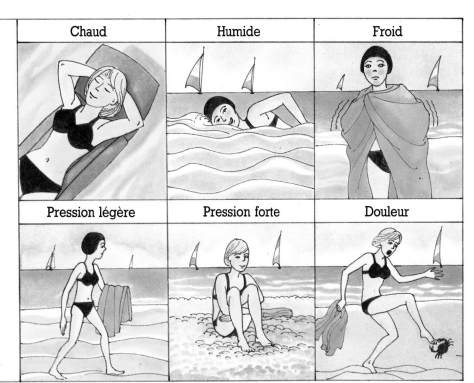

| Chaud | Humide | Froid |
| Pression légère | Pression forte | Douleur |

Et les animaux ?

Les animaux n'ont pas tous la même façon de percevoir leur environnement. Pour ce chien et ce chat, les différentes parties de leur corps sont représentées en proportion de leur sensibilité. On voit ainsi que chez le chien, l'odorat domine (voyez l'énormité de la truffe !), ainsi que le goût. En revanche, il n'a pas une très bonne vue, contrairement au chat. Les deux sens qui dominent chez le chat sont la vue et l'ouïe (voyez la proportion des yeux et des oreilles). C'est ce qui lui permet de se déplacer avec aisance dans l'obscurité.

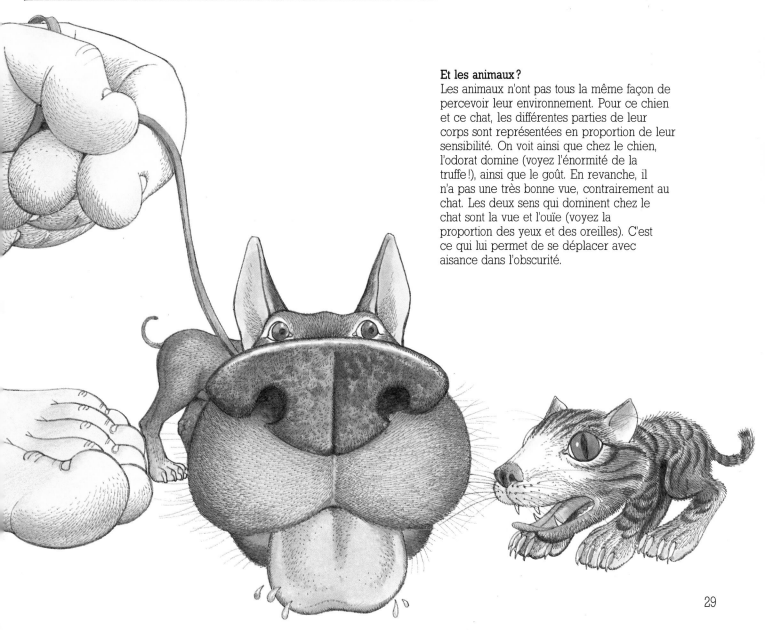

L'œil

Les quatre cinquièmes de tout ce qu'enregistre notre mémoire dépendent de ce que nous voyons, depuis les détails d'un paysage jusqu'aux leçons apprises dans des livres. C'est dire combien notre vue joue un rôle important.
Ce que nous voyons du monde extérieur ne tient pourtant pas plus de place qu'un timbre-poste! Toutes ces images sont en effet projetées sur une sorte de petit écran qui tapisse le fond de l'œil : la rétine. Et là, elles sont captées par des cellules nerveuses spécialisées : les cônes et les bâtonnets.
Chaque œil comprend plus de cent millions de bâtonnets et environ sept millions de cônes. Les bâtonnets sont responsables de la vision en noir et blanc sous un faible éclairage et de la perception des mouvements. Les cônes enregistrent les couleurs et les détails précis, mais seulement en pleine lumière. Cônes et bâtonnets traduisent toutes les images qu'ils reçoivent en influx nerveux. Et ces messages sont transmis par le nerf optique au cerveau où ils sont triés, assemblés et interprétés par le centre de la vision *(page 27)*. Et c'est ce « montage » opéré par le cerveau qui détermine finalement ce que nous voyons.

Une vision en cinémascope
L'œil fonctionne un peu comme un appareil de cinéma qui filmerait ce qui se passe à l'extérieur pour le projeter directement sur un écran panoramique situé à l'intérieur.

Un hublot protecteur
Le devant de l'œil est formé par une membrane transparente légèrement bombée, la cornée. Cette membrane protège l'intérieur de l'œil. Mais comme elle est parfaitement transparente, elle laisse passer les rayons lumineux et contribue même à leur concentration par sa forme arrondie.

Une lentille réglable
L'œil comprend une lentille, le cristallin, qui concentre la lumière pour projeter une image parfaitement nette sur la rétine. Il s'agit même d'une lentille réglable. Car grâce aux muscles qui l'entourent, le cristallin s'amincit en s'étirant pour enregistrer les images éloignées, ou s'épaissit pour les images proches.

Dosage de la lumière
La partie colorée de l'œil s'appelle l'iris. Au centre de l'iris est situé un orifice, la pupille, dont l'ouverture réglable détermine la quantité de lumière qui pénètre dans l'œil. Lorsqu'il fait sombre, la pupille s'élargit. Mais en plein soleil, elle se rétrécit pour protéger les délicates cellules nerveuses qui tapissent la rétine.

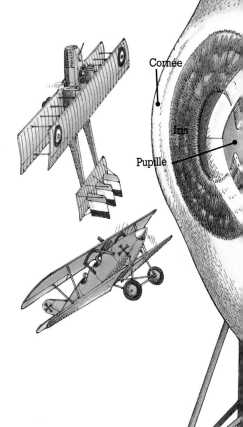

Cornée

Iris

Pupille

Pourquoi deux yeux ?	Cligner de l'œil	Des larmes bien utiles
Les deux yeux n'enregistrent pas tout à fait les mêmes images : fermez un œil, puis l'autre et vous verrez la différence. Or, c'est grâce au mélange de ces deux images dans notre cerveau que nous pouvons évaluer les formes et les distances.	De temps en temps, nous clignons de l'œil. Chacun de ces mouvements automatiques dure environ un tiers de seconde. Les paupières répandent ainsi une mince pellicule liquide à la surface de l'œil pour entretenir sa propreté.	Le liquide qui entretient la propreté de l'œil s'évacue normalement dans le nez par un minuscule canal. Mais lorsqu'une grosse poussière se colle sur l'œil, ce liquide devient plus abondant. Alors le canal déborde et des larmes se forment.

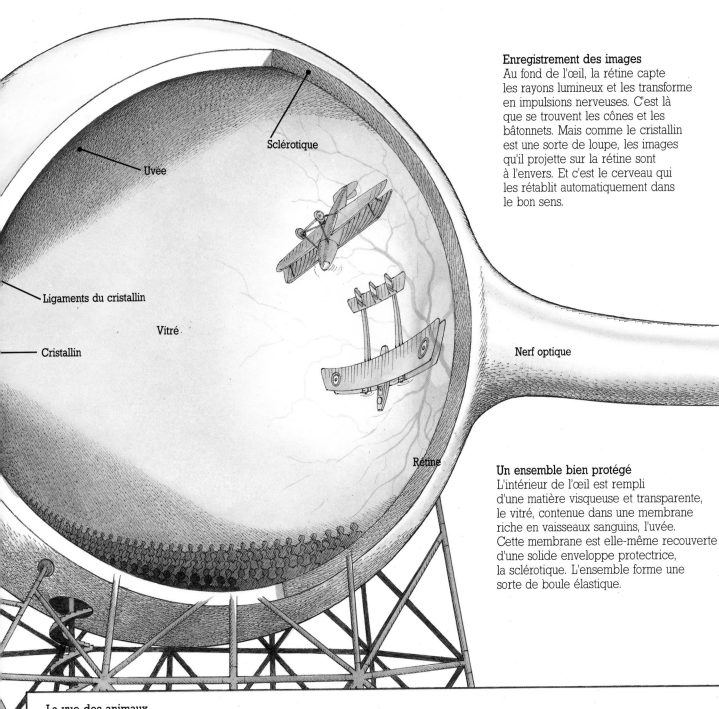

Sclérotique

Uvée

Ligaments du cristallin

Vitré

Cristallin

Nerf optique

Rétine

Enregistrement des images

Au fond de l'œil, la rétine capte
les rayons lumineux et les transforme
en impulsions nerveuses. C'est là
que se trouvent les cônes et les
bâtonnets. Mais comme le cristallin
est une sorte de loupe, les images
qu'il projette sur la rétine sont
à l'envers. Et c'est le cerveau qui
les rétablit automatiquement dans
le bon sens.

Un ensemble bien protégé

L'intérieur de l'œil est rempli
d'une matière visqueuse et transparente,
le vitré, contenue dans une membrane
riche en vaisseaux sanguins, l'uvée.
Cette membrane est elle-même recouverte
d'une solide enveloppe protectrice,
la sclérotique. L'ensemble forme une
sorte de boule élastique.

La vue des animaux

Toutes les créatures vivantes ne voient pas le monde
qui les entoure de la même façon. Les hommes ont une
bonne vue par rapport à la plupart des animaux. Et
surtout, ils savent interpréter ce qu'ils voient.

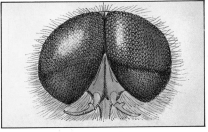

Voir la nuit

Chouettes et hiboux ont des yeux
énormes et d'une très grande
sensibilité. C'est ce qui leur
permet de chasser dans l'obscurité.

Toujours aux aguets

La souris a des yeux saillants
placés de chaque côté de sa tête.
Elle peut ainsi voir dans de
nombreuses directions à la fois.

Des centaines d'yeux

Les deux « yeux » d'un insecte
sont formés de centaines d'éléments
qui doivent sans doute décomposer les
images en de multiples facettes.

L'oreille

Imaginez une belle journée à la campagne. Soudain, le ciel est traversé par le bruit assourdissant d'un chasseur à réaction. Puis, au fur et à mesure que l'avion s'éloigne, le rugissement de ses réacteurs s'estompe et l'on recommence à entendre le chant des oiseaux. Le bruit de l'avion est des millions de fois plus puissant que le chant des oiseaux. Pourtant, nos oreilles entendent aussi bien l'un que l'autre. De même, elles sont sensibles aux sons graves d'une contrebasse comme aux sons aigus d'une flûte. Ce que nous voyons de l'oreille, le pavillon, capte les ondes sonores et les canalise vers les organes de l'oreille moyenne et interne. Ces organes sont situés à l'intérieur du crâne, près de l'œil. C'est là que les ondes sonores sont transformées en signaux électriques par des cellules nerveuses spécialisées. Puis ces signaux sont transmis au cerveau qui les enregistre et les interprète : nous entendons. Le fait d'avoir deux oreilles est très utile. Car les sons ne sont pas perçus de la même façon par l'une et par l'autre. Or, c'est cette différence qui nous permet de situer la provenance des sons.

L'oreille musicienne
L'oreille est un organe d'une extrême finesse. Elle peut s'y retrouver parmi les enchevêtrements compliqués d'une musique d'orchestre. Elle est sensible aux variations de volume comme aux moindres nuances de tonalité entre les graves et les aigus. Elle peut même identifier chacun des instruments.

Comme une trompette
L'oreille externe se compose d'une sorte d'entonnoir, le pavillon, et d'un tuyau, le conduit auditif qui aboutit au tympan. C'est là que les ondes sonores sont canalisées vers l'intérieur.

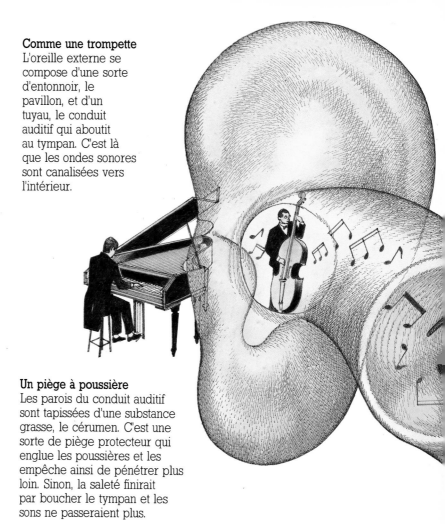

Un piège à poussière
Les parois du conduit auditif sont tapissées d'une substance grasse, le cérumen. C'est une sorte de piège protecteur qui englue les poussières et les empêche ainsi de pénétrer plus loin. Sinon, la saleté finirait par boucher le tympan et les sons ne passeraient plus.

Comme un tambour
Lorsqu'on frappe la peau d'un tambour, elle vibre en produisant ainsi des ondes sonores. Le tympan fonctionne en sens inverse : ce sont les ondes sonores qui le font vibrer. Et ces vibrations se transmettent aux trois osselets : le marteau, l'enclume et l'étrier.

Un trajet compliqué
Les sons pénètrent dans le pavillon sous forme d'ondes sonores. Ils franchissent ensuite le tympan et les trois osselets de l'oreille moyenne. Puis ils traversent le liquide des labyrinthes de l'oreille interne avant d'être transformés en signaux électriques et transmis au cerveau. En simplifiant, cela donne à peu près ceci :

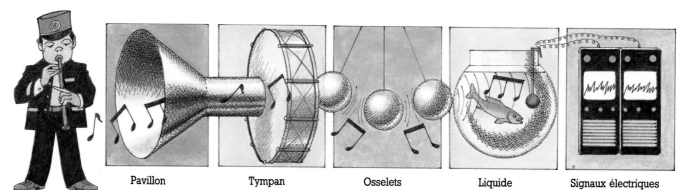

Pavillon   Tympan   Osselets   Liquide   Signaux électriques

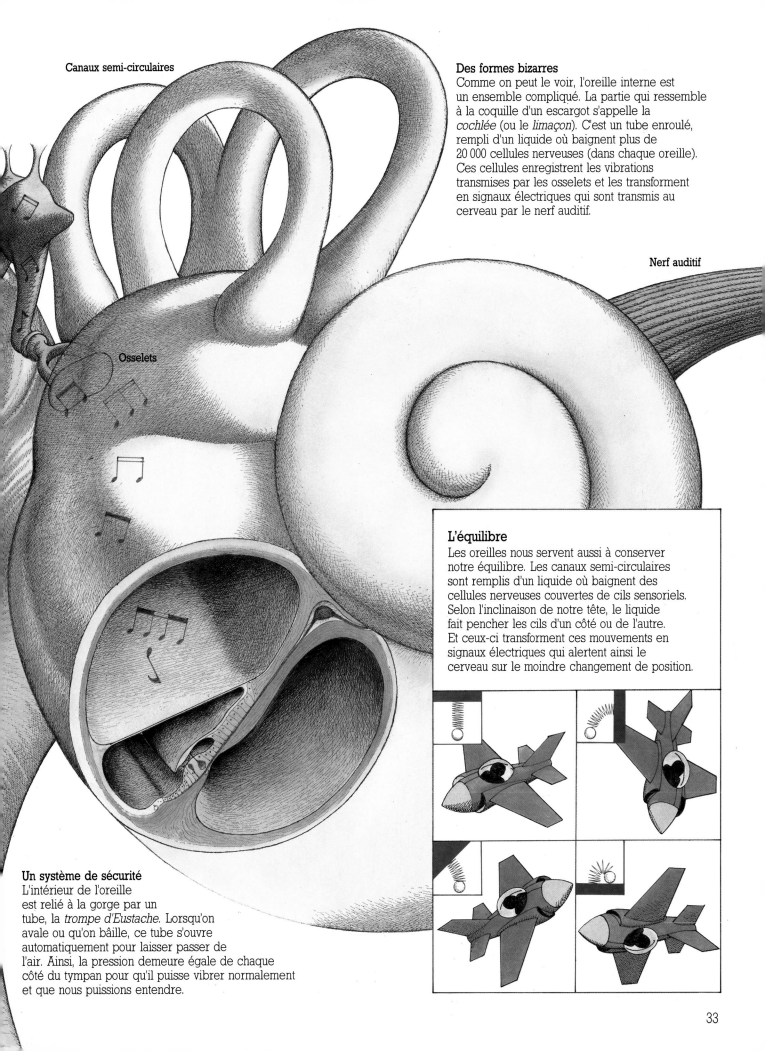

Canaux semi-circulaires

Osselets

Nerf auditif

Des formes bizarres

Comme on peut le voir, l'oreille interne est un ensemble compliqué. La partie qui ressemble à la coquille d'un escargot s'appelle la *cochlée* (ou le *limaçon*). C'est un tube enroulé, rempli d'un liquide où baignent plus de 20 000 cellules nerveuses (dans chaque oreille). Ces cellules enregistrent les vibrations transmises par les osselets et les transforment en signaux électriques qui sont transmis au cerveau par le nerf auditif.

L'équilibre

Les oreilles nous servent aussi à conserver notre équilibre. Les canaux semi-circulaires sont remplis d'un liquide où baignent des cellules nerveuses couvertes de cils sensoriels. Selon l'inclinaison de notre tête, le liquide fait pencher les cils d'un côté ou de l'autre. Et ceux-ci transforment ces mouvements en signaux électriques qui alertent ainsi le cerveau sur le moindre changement de position.

Un système de sécurité

L'intérieur de l'oreille est relié à la gorge par un tube, la *trompe d'Eustache*. Lorsqu'on avale ou qu'on bâille, ce tube s'ouvre automatiquement pour laisser passer de l'air. Ainsi, la pression demeure égale de chaque côté du tympan pour qu'il puisse vibrer normalement et que nous puissions entendre.

33

À l'intérieur de la bouche

La bouche est la première étape de notre nourriture. Ses différentes parties ont chacune un rôle à jouer. Les dents découpent et broient les aliments. La langue les répartit sous les dents pour qu'ils soient bien mastiqués, puis les pousse vers le fond de la bouche lorsqu'ils sont prêts à être avalés. Les glandes salivaires produisent un liquide, la salive, qui ramollit les aliments pour faciliter leur passage dans le tube digestif. En même temps, l'intérieur de la bouche modifie la température de ce que nous mangeons : elle réchauffe ce qui est trop froid et rafraîchit ce qui est trop chaud. Tout cela prépare les autres étapes de la digestion qui va se poursuivre dans l'estomac.
Et puis la bouche joue aussi un autre rôle important : c'est elle qui transforme en mots les sons émis par les cordes vocales qui sont situées dans la gorge.

Des envahisseurs à éliminer
L'intérieur de la bouche est chaud et humide. C'est un endroit idéal pour les microbes qui s'attaquent d'abord aux débris alimentaires coincés entre les dents, puis aux dents elles-mêmes. Il faut donc se laver souvent les dents.

La gencive
La gencive recouvre l'os de la mâchoire où elle contribue à fixer les dents. Autour de chaque dent, elle forme un sillon très sensible aux infections.

Couper, déchiqueter
En haut et en bas, les quatre dents de devant sont tranchantes. Ce sont les incisives. Elles sont encadrées par deux canines pointues qui servent à déchiqueter la nourriture.

Broyer
Toutes les autres dents ont une couronne bosselée qui sert à broyer. Ce sont les prémolaires (en arrière des canines) et les molaires (au fond de la bouche).

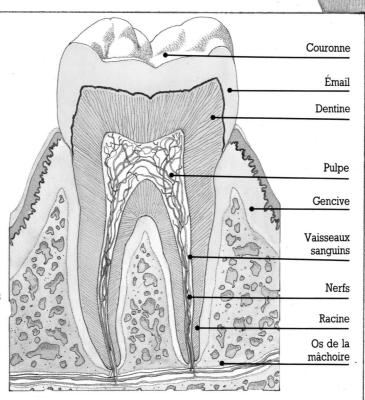

L'intérieur d'une dent
Voici la coupe d'une molaire. La dent est solidement implantée par ses racines dans la gencive et l'os de la mâchoire. La partie qui dépasse au-dessus de la gencive s'appelle la *couronne*; elle est recouverte d'une couche d'*émail*, une substance très dure, la plus dure de tout notre corps. Au-dessous, se trouve une matière un peu moins dure, la *dentine* (ou ivoire). Émail et dentine ne comprennent ni vaisseaux sanguins ni nerfs et ne sont donc pas sensibles à la douleur. La *pulpe*, en revanche, est riche en nerfs, et en vaisseaux sanguins. Lorsqu'on a mal à une dent, c'est que ces nerfs sont atteints : il est grand temps d'aller chez le dentiste !

Couronne
Émail
Dentine
Pulpe
Gencive
Vaisseaux sanguins
Nerfs
Racine
Os de la mâchoire

Les glandes salivaires
La salive est produite par des glandes situées sous la mâchoire, en avant des oreilles et sous la langue. Elle contient des substances qui commencent à décomp[oser] les aliments pour préparer leur digestion.

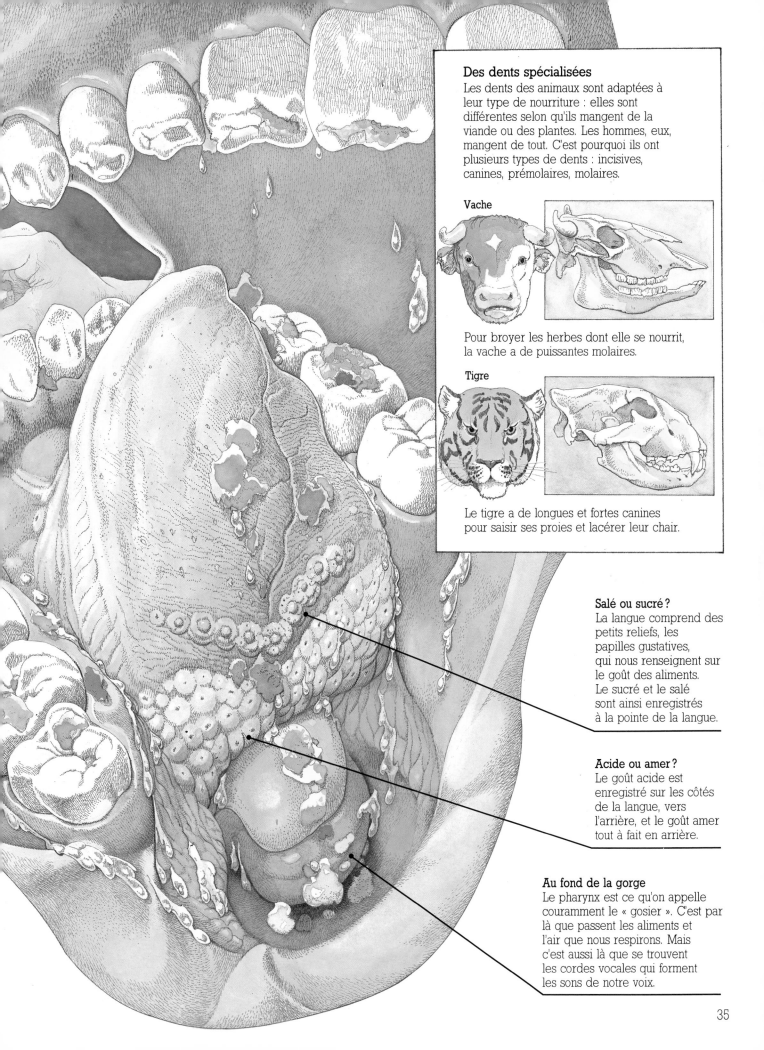

Des dents spécialisées

Les dents des animaux sont adaptées à leur type de nourriture : elles sont différentes selon qu'ils mangent de la viande ou des plantes. Les hommes, eux, mangent de tout. C'est pourquoi ils ont plusieurs types de dents : incisives, canines, prémolaires, molaires.

Vache

Pour broyer les herbes dont elle se nourrit, la vache a de puissantes molaires.

Tigre

Le tigre a de longues et fortes canines pour saisir ses proies et lacérer leur chair.

Salé ou sucré ?

La langue comprend des petits reliefs, les papilles gustatives, qui nous renseignent sur le goût des aliments. Le sucré et le salé sont ainsi enregistrés à la pointe de la langue.

Acide ou amer ?

Le goût acide est enregistré sur les côtés de la langue, vers l'arrière, et le goût amer tout à fait en arrière.

Au fond de la gorge

Le pharynx est ce qu'on appelle couramment le « gosier ». C'est par là que passent les aliments et l'air que nous respirons. Mais c'est aussi là que se trouvent les cordes vocales qui forment les sons de notre voix.

Le buste

Le buste est la salle des machines de notre corps. Tous les jours, inlassablement, ses muscles se contractent pour que les poumons se gonflent d'air. L'oxygène de l'air passe des poumons dans le sang qui le conduit au cœur. Et le cœur fait circuler ce sang riche en oxygène à travers tout notre corps. Car nos organes doivent être perpétuellement

Os longs et os plats
Les clavicules, sur le devant et les omoplates dans le dos, servent de points d'attache aux nombreux muscles qui nous permettent de faire bouger les bras dans toutes les directions.

Le pilier du dos
La colonne vertébrale est un support solide qui permet aux poumons de se maintenir dans une bonne position pour qu'ils puissent respirer dans les meilleures conditions.

Une double enveloppe
Les poumons sont enveloppés dans deux fines membranes humides (les plèvres) que sépare un mince intervalle. Leurs glissements facilitent les mouvements respiratoires.

La place du cœur
Le poumon gauche est légèrement plus petit que l'autre. Il laisse, en effet, un espace libre où le cœur vient se loger.

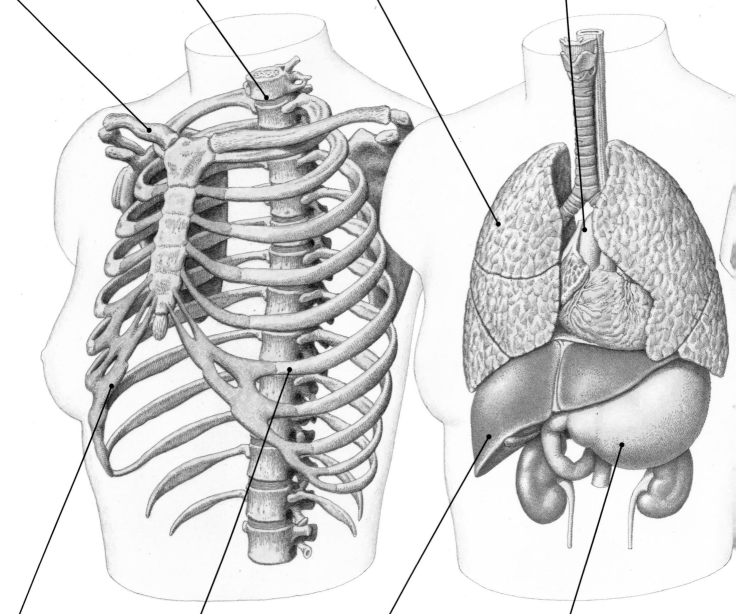

Une cage élastique
Les côtes forment une cage solide qui protège les poumons. Mais elles sont articulées, pour que les mouvements respiratoires puissent s'effectuer librement.

Les côtes
La cage thoracique est formée de douze paires de côtes qui partent de la colonne vertébrale et se rattachent au sternum, sauf les deux paires du bas, les « côtes flottantes ».

Une usine chimique
Le foie est un organe très important qui transforme, produit, emmagasine ou détruit des centaines de substances différentes. C'est la plus grosse glande de notre corps.

Digestion : deuxième étape
L'estomac continue le travail qui avait débuté dans la bouche. Pendant plus de trois heures, ses parois musculaires malaxent les aliments qui sont en outre décomposés par des acides.

réapprovisionnés en oxygène. Sinon, ils ne pourraient plus fonctionner et notre vie s'arrêterait. Comme le cœur est situé près des poumons, le sang renouvelé a très peu de chemin à faire pour y parvenir avant d'être propulsé dans le reste du corps. Mais ensuite, son circuit de distribution est beaucoup plus long. Certains organes importants de l'appareil digestif, comme l'estomac et le foie, se trouvent également à l'intérieur de la cage thoracique. Ils sont nichés sous une membrane musculaire bombée, le diaphragme, qui participe aux mouvements respiratoires.

Muscles du dessous
De nombreux muscles se superposent sur la poitrine où chacun joue un rôle précis. Celui-ci agit sur certains mouvements de l'épaule : vers le bas et vers l'avant.

Muscles du dessus
Cette large couche musculaire s'étend juste au-dessous de la peau. C'est à elle que nous devons de pouvoir soulever notre corps lorsque nous sommes suspendus par les bras.

Du lait pour les nourrissons
Les seins des femmes sont des glandes qui servent à produire du lait pour nourrir les nouveau-nés. Ils ne se développent qu'à partir de la puberté.

Du sang pour le cerveau
Des artères se ramifient au-dessus du cœur pour amener le sang riche en oxygène au cerveau, à la tête et aux bras. En sens inverse, des veines ramènent le sang chargé de gaz carbonique.

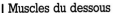

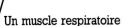

Un muscle respiratoire
Le diaphragme est une membrane musculaire qui supporte les poumons. Lorsqu'il se contracte, il s'abaisse en permettant ainsi aux poumons de se gonfler d'air.

Plusieurs passages
Le diaphragme est percé de plusieurs orifices par où passent des canalisations importantes et notamment l'œsophage qui conduit la nourriture à l'estomac.

Un léger rembourrage
Sous la peau, le buste est protégé par une mince couche de graisse. Chez les femmes, elle est légèrement plus importante que chez les hommes.

Vers le reste du corps
Une grosse artère transporte vers l'abdomen le sang riche en oxygène. Dans l'autre sens, une grosse veine ramène vers le cœur le sang chargé de gaz carbonique.

Les poumons

Difficile de retenir sa respiration plus d'une minute !... D'ailleurs, cela risquerait d'être dangereux. Car nous avons besoin d'inspirer régulièrement de l'air pour y puiser l'oxygène qui est indispensable à la vie de nos organes. Les poumons ont en fait une double fonction : absorber le plus possible d'oxygène et expulser du gaz carbonique. L'air que nous inspirons contient environ 21 % d'oxygène. Celui que nous expirons n'en contient plus que 16 %, les 5 % complémentaires étant du gaz carbonique.

La respiration est contrôlée par le cerveau. Plus nos muscles travaillent, plus ils consomment de l'oxygène et plus ils produisent de gaz carbonique. Le sang s'appauvrit alors en oxygène et accumule davantage de gaz carbonique. Aussitôt alerté, le cerveau envoie des ordres aux poumons pour accélérer le rythme de leurs mouvements. C'est pourquoi nous respirons plus vite à l'occasion d'un gros effort : si nous sommes essoufflés à la fin d'une course, c'est parce que nos poumons essaient de nous procurer davantage d'oxygène.

À l'intérieur des poumons

Chacun de nos poumons contient des centaines de millions de poches minuscules, les *alvéoles,* qui absorbent l'oxygène de l'air inspiré. Si tous ces alvéoles étaient mis à plat, ils couvriraient à peu près la superficie d'un court de tennis ! Les alvéoles se réunissent en grappes entourées de capillaires qui assurent les échanges entre l'air et le sang.

1 Les poumons sont des sortes d'éponges parcourues par de nombreux tuyaux.

2 Chaque tuyau aboutit à des grappes d'alvéoles entourées de capillaires.

3 À travers les minces parois des alvéoles, l'oxygène s'infiltre dans le sang et celui-ci se débarrasse de son gaz carbonique.

Pour inspirer

Le diaphragme *(voir page 37)* s'abaisse en se contractant. Les muscles situés entre les côtes se contractent aussi pour élargir la cage thoracique. Les poumons ont ainsi davantage de place et se gonflent pour se remplir d'air.

Un mouvement de va-et-vient

La trachée *est un gros tuyau qui relie le fond de la gorge aux poumons où elle se ramifie en de nombreuses branches : les* bronches *et les* bronchioles. *L'inspiration nécessite la contraction du diaphragme et des muscles de la cage thoracique. L'expiration se fait automatiquement, lorsque ces muscles se relâchent.*

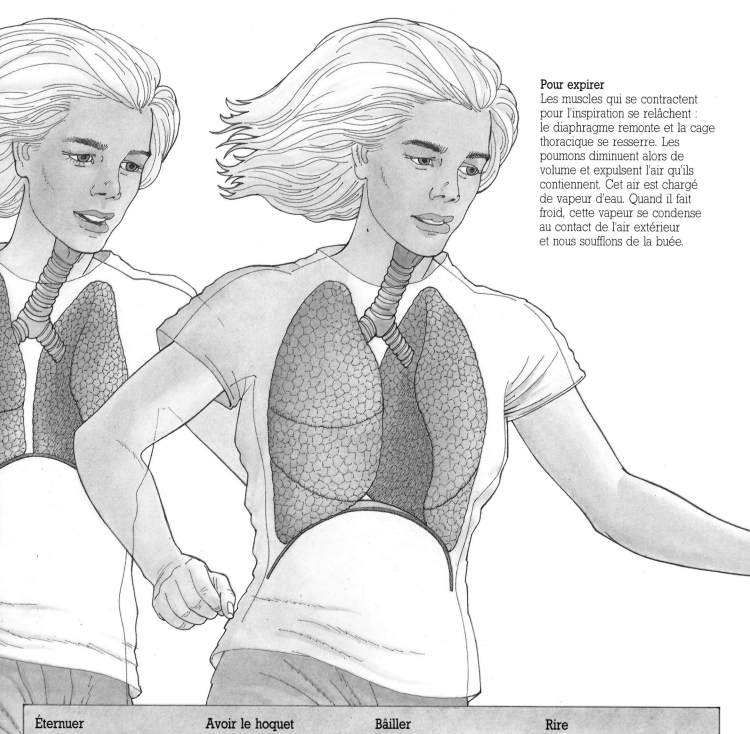

Pour expirer
Les muscles qui se contractent
pour l'inspiration se relâchent :
le diaphragme remonte et la cage
thoracique se resserre. Les
poumons diminuent alors de
volume et expulsent l'air qu'ils
contiennent. Cet air est chargé
de vapeur d'eau. Quand il fait
froid, cette vapeur se condense
au contact de l'air extérieur
et nous soufflons de la buée.

Éternuer

La gorge se bloque et la
pression augmente dans les
poumons. Puis la gorge se
relâche brusquement et l'air
est alors expulsé avec une
grande violence.

Avoir le hoquet

Il est provoqué par des
contractions anormales du
diaphragme. Des abus de
nourriture ou de boisson
peuvent en être la cause.

Bâiller

On bâille parce qu'on
s'ennuie ou qu'on est
fatigué. C'est peut-être
une façon instinctive
d'expulser un trop-plein
de gaz carbonique.

Rire

C'est une série de brusques
soubresauts du diaphragme
qui provoquent des expulsions
d'air par saccades. Essayer
de l'empêcher aggrave
souvent les choses !

Le cœur

Au centre de l'appareil circulatoire *(voir page 16),* se trouve le cœur. C'est un muscle creux qui comprend quatre cavités. Environ toutes les secondes, il se contracte et deux de ses cavités propulsent le sang dans de grosses canalisations, les artères. Puis il se relâche et ses deux autres cavités accueillent le sang que ramènent d'autres canalisations, les veines. Ce double mouvement de pompage constitue ce qu'on appelle les battements du cœur. Il se produit régulièrement, sans arrêt, tout au long de notre vie. Son rythme peut se contrôler facilement en posant le doigt sur le trajet d'une artère qui passe sous la peau du poignet, en arrière du pouce : c'est ce qu'on appelle prendre le pouls.

Le cœur est une pompe infatigable qui peut fonctionner pendant cent ans et même davantage. Mais c'est aussi une pompe réglable dont le rythme peut s'accélérer ou se ralentir selon les besoins de notre organisme. Au repos, il bat environ 60 à 70 fois par minute, ce qui représente un débit moyen d'environ 6 litres de sang. Mais lorsqu'on fait une course à pied, par exemple, il peut battre deux fois plus vite en propulsant trois fois plus de sang.

Une double pompe

Le cœur est un carrefour central où tout le sang de notre corps passe et repasse inlassablement. En fait, il est constitué de deux pompes juxtaposées. Celle de droite accueille le sang chargé de déchets dont nos organes se sont débarrassés (en bleu sur l'illustration ci-contre) et l'envoie aux poumons pour qu'il y récupère de l'oxygène. Ce sang renouvelé (en rouge) revient alors dans la pompe de gauche qui le renvoie vers le reste du corps. Puis, quand il a distribué son oxygène, il retourne dans la pompe de droite qui le renvoie aux poumons et ainsi de suite.

Poumons

Des poumons
vers le cœur

Une circulation paisible

Le sang chargé de gaz carbonique et de déchets qui revient vers le cœur n'a pas besoin d'être propulsé avec puissance. Il s'écoule librement dans des canalisations aux parois minces, les veines. Certaines veines sont équipées de valves à sens unique qui empêchent le sang de refluer vers son point de départ.

Du bas du corps
vers le cœur

Les cavités du cœur

Chaque côté du cœur correspond à deux cavités. Celle du haut, l'*oreillette,* est la plus petite et ses parois sont plus minces.
Elle se gonfle pour accueillir le sang.
Puis celui-ci passe dans la cavité du bas, le *ventricule.* Le ventricule droit propulse le sang vers les poumons, et le ventricule gauche vers le reste du corps. (Sur l'illustration ci-contre, le circuit paraît inversé, parce que le cœur y est présenté vu de face.)

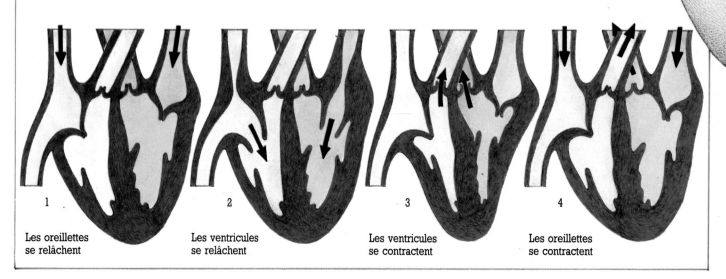

1 Les oreillettes se relâchent

2 Les ventricules se relâchent

3 Les ventricules se contractent

4 Les oreillettes se contractent

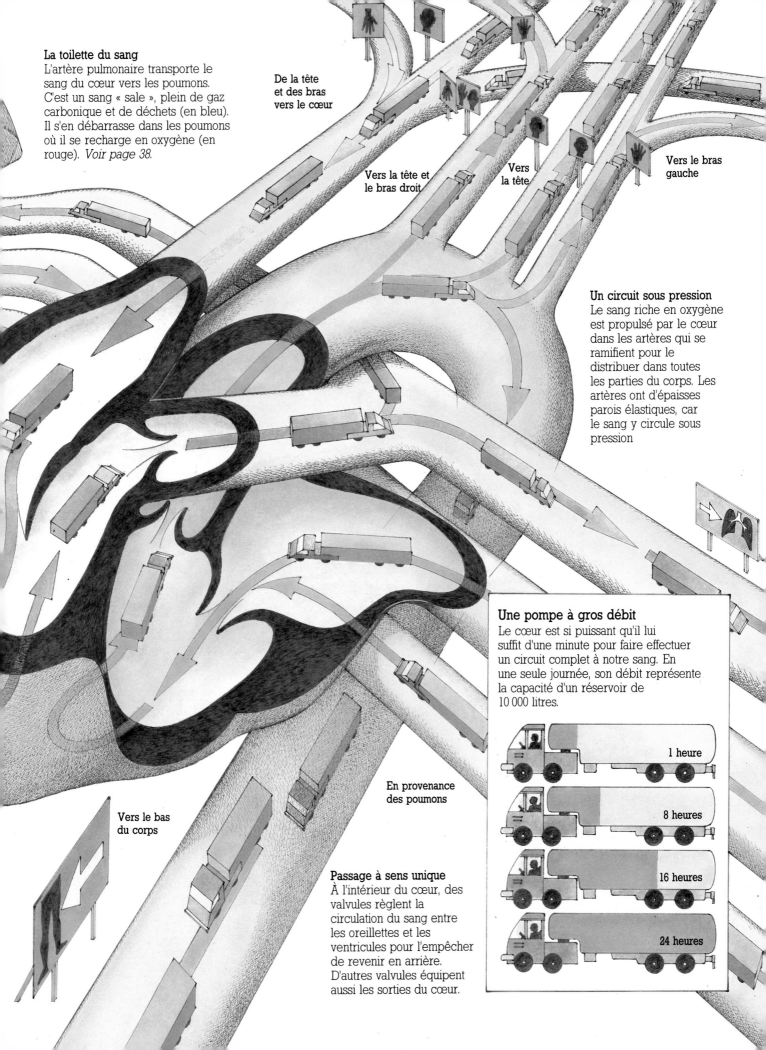

La toilette du sang
L'artère pulmonaire transporte le sang du cœur vers les poumons. C'est un sang « sale », plein de gaz carbonique et de déchets (en bleu). Il s'en débarrasse dans les poumons où il se recharge en oxygène (en rouge). *Voir page 38.*

De la tête et des bras vers le cœur

Vers la tête et le bras droit

Vers la tête

Vers le bras gauche

Un circuit sous pression
Le sang riche en oxygène est propulsé par le cœur dans les artères qui se ramifient pour le distribuer dans toutes les parties du corps. Les artères ont d'épaisses parois élastiques, car le sang y circule sous pression

Une pompe à gros débit
Le cœur est si puissant qu'il lui suffit d'une minute pour faire effectuer un circuit complet à notre sang. En une seule journée, son débit représente la capacité d'un réservoir de 10 000 litres.

1 heure

8 heures

16 heures

24 heures

En provenance des poumons

Vers le bas du corps

Passage à sens unique
À l'intérieur du cœur, des valvules règlent la circulation du sang entre les oreillettes et les ventricules pour l'empêcher de revenir en arrière. D'autres valvules équipent aussi les sorties du cœur.

Les bras et les mains

Les bras et les mains sont de véritables instruments à tout faire, capables d'enfiler une aiguille aussi bien que de soulever un sac de pommes de terre et capables également de nous transmettre des sensations : au bout des doigts, la peau est extrêmement sensible, au point de pouvoir déceler des mouvements imperceptibles qui échappent à notre vue.

Personne n'est encore parvenu à fabriquer des instruments aussi perfectionnés. Les bras des robots commandés par ordinateur qui travaillent dans certaines usines d'automobiles, sont seulement capables d'effectuer quelques tâches limitées. En outre, ils s'usent très vite. Nos bras peuvent travailler pendant des années et des années. Et puis, évidemment, ils sont commandés par le plus efficace de tous les ordinateurs : le cerveau.

Pourquoi les hommes ont-ils des bras et des mains et non pas quatre pattes comme les chats, les chiens et bien d'autres animaux ? C'est le résultat d'un phénomène qu'on appelle l'évolution. Il y a très longtemps, nos lointains ancêtres ressemblaient à des singes. Ils vivaient dans les arbres où ils utilisaient leurs quatre membres pour se déplacer. Puis ils abandonnèrent les arbres pour vivre sur le sol. Et c'est là qu'ils commencèrent à se tenir debout sur leurs membres inférieurs. Les membres supérieurs furent ainsi disponibles pour de nouvelles tâches qui ne cessèrent de se perfectionner. C'est grâce à la collaboration de plus en plus efficace de son cerveau et de ses bras que l'homme fut en mesure de conquérir le monde.

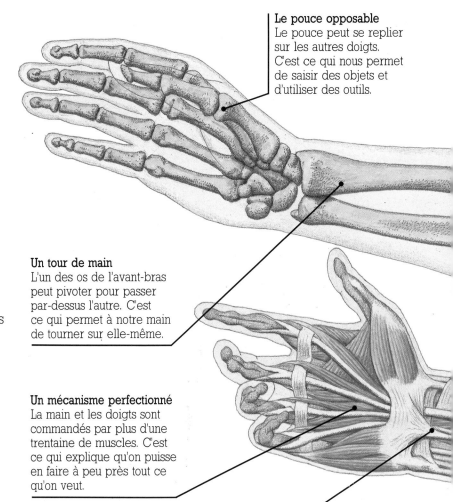

Le pouce opposable
Le pouce peut se replier sur les autres doigts. C'est ce qui nous permet de saisir des objets et d'utiliser des outils.

Un tour de main
L'un des os de l'avant-bras peut pivoter pour passer par-dessus l'autre. C'est ce qui permet à notre main de tourner sur elle-même.

Un mécanisme perfectionné
La main et les doigts sont commandés par plus d'une trentaine de muscles. C'est ce qui explique qu'on puisse en faire à peu près tout ce qu'on veut.

Les leviers de la main
Sous la peau, le bras et l'avant-bras se composent presque uniquement de muscles et d'os. Ils fonctionnent comme deux leviers articulés, capables de se déplacer dans presque toutes les directions. C'est grâce à eux que notre main peut avoir des gestes fermes et précis.

Pour remuer les doigts
Les doigts sont commandés par les muscles des avant-bras auxquels ils sont reliés par des tendons. Ces tendons (20 par main) sont entourés au poignet par un solide bracelet de ligaments.

Des doigts pour sentir
Lorsqu'on se déplace dans l'obscurité, faute d'y voir quelque chose, on tend instinctivement les mains en avant pour éviter les obstacles et « sentir » ce qui nous entoure. La peau des doigts est riche en terminaisons nerveuses sensibles aux plus légères pressions *(page 12)*, ainsi qu'à la chaleur, au froid et à la douleur. L'extrémité des doigts est la partie la plus sensible. Elle est protégée par l'ongle qui est l'équivalent chez l'homme des griffes des animaux.

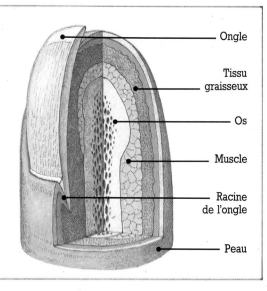

Ongle

Tissu graisseux

Os

Muscle

Racine de l'ongle

Peau

Les « ongles » des animaux
Les ongles sont faits d'une substance dure, la kératine, identique à celle qui entre dans la constitution des poils et des cheveux. Chez les animaux, les griffes, les sabots et les cornes sont également formés de kératine. Comme nous n'utilisons pas nos « griffes » pour déchiqueter notre nourriture ou pour nous battre (pas souvent, du moins !), elles sont beaucoup moins développées que chez la plupart des animaux. Il faut toutefois se couper les ongles régulièrement car ils poussent d'environ un millimètre en quinze jours.

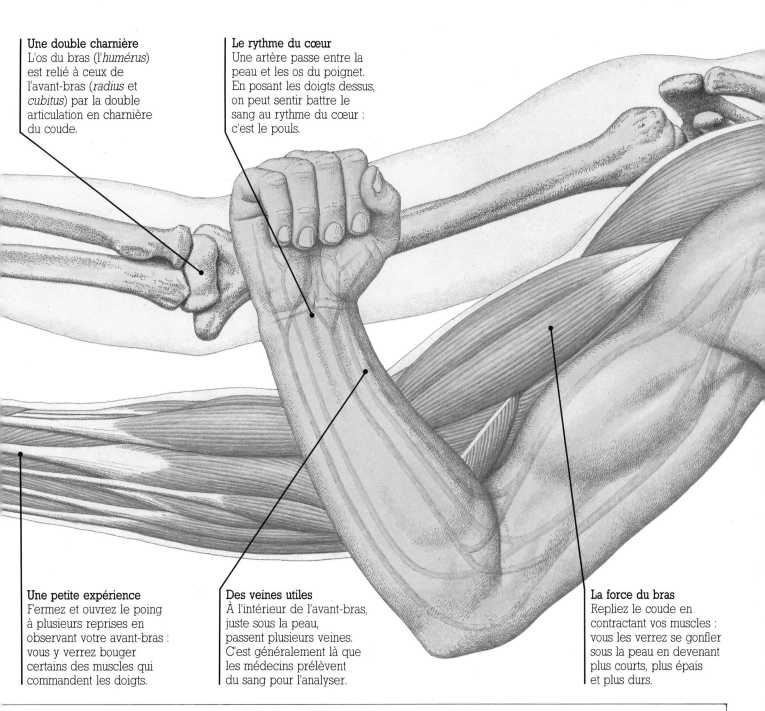

Une double charnière
L'os du bras (l'*humérus*) est relié à ceux de l'avant-bras (*radius* et *cubitus*) par la double articulation en charnière du coude.

Le rythme du cœur
Une artère passe entre la peau et les os du poignet. En posant les doigts dessus, on peut sentir battre le sang au rythme du cœur : c'est le pouls.

Une petite expérience
Fermez et ouvrez le poing à plusieurs reprises en observant votre avant-bras : vous y verrez bouger certains des muscles qui commandent les doigts.

Des veines utiles
À l'intérieur de l'avant-bras, juste sous la peau, passent plusieurs veines. C'est généralement là que les médecins prélèvent du sang pour l'analyser.

La force du bras
Repliez le coude en contractant vos muscles : vous les verrez se gonfler sous la peau en devenant plus courts, plus épais et plus durs.

Les serres du faucon

Les rapaces ont des serres puissantes qui leur permettent de saisir leurs proies pour les tuer, puis de les maintenir pour les déchiqueter avec leur bec.

Les griffes de l'ours

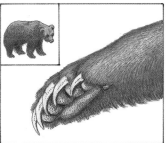

Les ours mangent un peu de tout : poissons, petits animaux, racines qu'ils déterrent. Leurs griffes sont peu tranchantes, mais relativement puissantes.

Le sabot du cheval

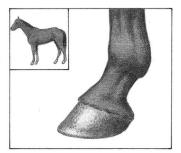

Beaucoup d'animaux ont cinq « ongles » à chaque membre, comme nous. Le cheval n'en a qu'un, son sabot, assez développé pour supporter le poids de son corps.

Les cornes de la chèvre

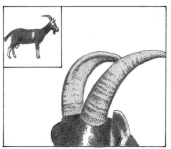

Les cornes de certains animaux, comme la chèvre, sont formées de la même substance dure, la kératine, qui constitue les ongles, les griffes et les sabots.

L'abdomen

Au-dessous du buste, le corps se prolonge par l'abdomen. De nombreux organes y sont étroitement serrés les uns contre les autres. La plupart jouent un rôle dans la digestion des aliments et dans l'élimination de leurs déchets. Ils décomposent la bouillie alimentaire qui provient de l'estomac et font passer dans le sang les

Les côtes flottantes
Contrairement aux autres, les quatre côtes du bas (11e et 12e paires) ne se rattachent pas, sur le devant, au reste de la cage thoracique *(page 36)*.

Il faut être prudent
Les grosses vertèbres qui forment l'arrière de l'abdomen sont très solides. Mais attention au « tour de rein », si l'on se penche en avant trop brutalement.

Une usine chimique
Le foie est la plus grosse et la plus active de nos glandes. Il transforme, produit, emmagasine ou détruit des centaines de substances différentes.

Un long travail
L'estomac est la deuxième étape de la digestion. Les aliments y sont malaxés pendant plusieurs heures, décomposés par des acides et transformés en bouillie.

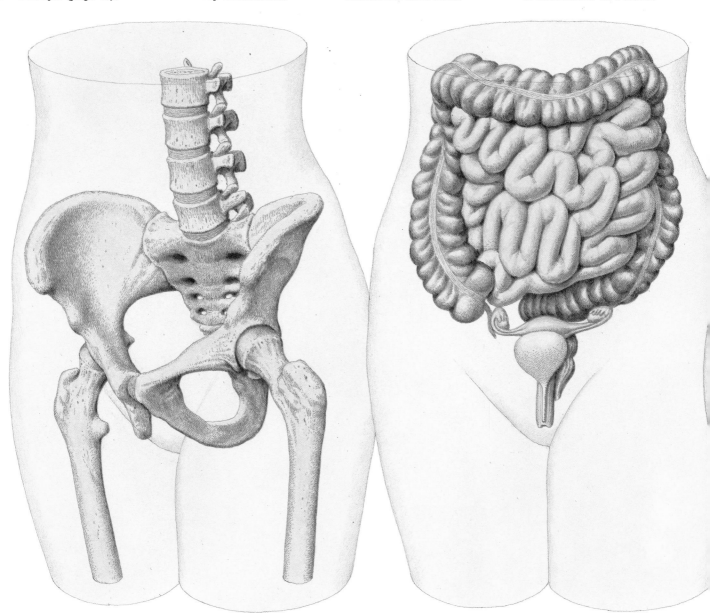

Une cuvette d'os
Le bassin se compose de plusieurs os soudés les uns aux autres. Il forme une sorte de cuvette protectrice pour les organes qu'il contient.

Une solide soudure
L'os triangulaire qui termine la colonne vertébrale est le sacrum. Il est formé par cinq vertèbres soudées les unes aux autres.

Des plis et des replis
La plus grande partie de l'abdomen est occupée par les nombreux replis de l'intestin grêle et par le gros intestin qui en fait le tour.

Vers la sortie
Descendant des reins, l'urine s'emmagasine dans la vessie en attendant d'être évacuée. C'est derrière la vessie que se trouve l'utérus.

substances dont notre corps a besoin ; le reste poursuit son chemin pour être expulsé. Le foie et les reins participent également à l'élimination de certains déchets. Ils filtrent le sang pour le purifier de tout ce que notre corps ne peut utiliser. Ils nous empêchent ainsi d'être empoisonnés par des substances qui deviendraient dangereuses si elles s'accumulaient. Ces substances sont évacuées par les urines. De l'extérieur, nous ne voyons évidemment rien des organes de notre abdomen. Mais par leurs mouvements, nous pouvons les sentir fonctionner.

Un bouclier de muscles
Le devant de l'abdomen n'est soutenu par aucun os. Mais ses organes sont protégés par de puissantes couches de muscles qui se superposent.

Des côtés bien protégés
Cette couche de muscles tapisse les flancs, depuis le ventre jusqu'au dos et s'étend à la fois sur le côté du buste et sur celui de l'abdomen.

Distribution de l'oxygène
L'aorte est l'artère principale qui apporte le sang oxygéné dans l'abdomen où elle se ramifie pour le distribuer au foie, aux reins et aux autres organes.

Évacuation des déchets
Près de l'aorte, la veine cave inférieure remonte vers le cœur le sang chargé des déchets dont les organes abdominaux se sont débarrassés.

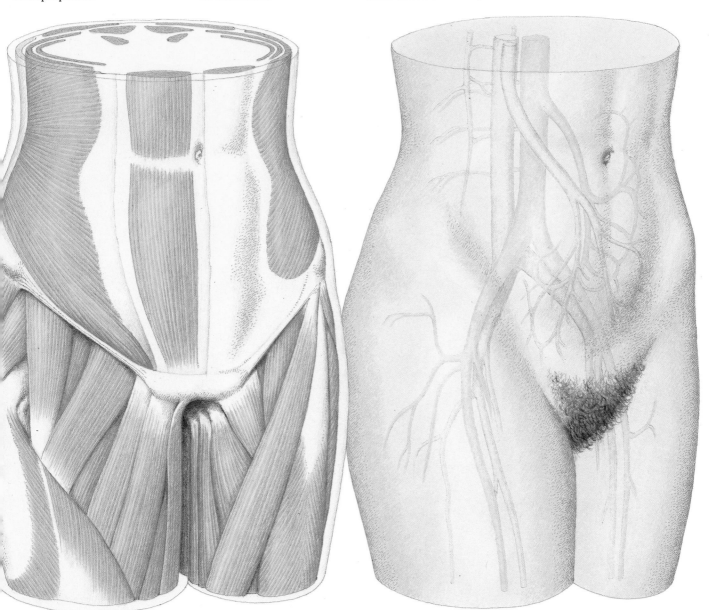

Une sangle solide
Certains des muscles abdominaux forment une sorte de sangle qui relie le devant de la hanche aux côtes. Il y en a un de chaque côté de l'abdomen.

Un ventre musclé
Les muscles abdominaux forment un ensemble particulièrement solide, car ils s'entrecroisent en tous sens : horizontalement, verticalement, en diagonales.

Pas trop de graisse
La peau de certaines personnes est tapissée de graisse. Si cette couche devient trop importante, c'est signe de mauvaise santé... et que l'on mange trop !

Souvenir de naissance
À sa naissance, le bébé est relié à sa mère par le cordon ombilical (pages 54-55). Ce cordon est coupé, mais sa cicatrice laisse une trace sur le ventre : le nombril.

45

Que devient notre nourriture

Lorsque nous mangeons, nous nous occupons seulement de mastiquer et d'avaler. Après quoi, nous n'y pensons plus. Mais pour notre nourriture, c'est le début de tout un périple à l'intérieur d'un ensemble compliqué de tuyaux et de poches. Cet ensemble, qui mesure plus de 8 mètres de long, constitue notre appareil digestif. Il a pour fonction de transformer ce que nous mangeons (de le digérer), pour que notre corps puisse l'assimiler.

L'appareil digestif est en fait un long tuyau qui commence dans la bouche et se termine à l'anus. Mais selon les tâches qu'elles ont à effectuer, certaines parties de ce tuyau sont étroites et d'autres larges, certaines sont longues et d'autres courtes. La nourriture avalée s'engage dans un tube musculeux, l'œsophage, qui la conduit dans l'estomac. Là, elle est malaxée, imprégnée de substances digestives et transformée ainsi en une sorte de bouillie.

Puis cette bouillie est progressivement évacuée dans l'intestin grêle dont les parois laissent filtrer une partie des aliments digérés dans la circulation sanguine. Le reste de la bouillie alimentaire passe de l'intestin grêle dans un tuyau plus court, mais plus large, le gros intestin. La plus grande partie de l'eau qu'elle contient, ainsi que d'autres substances utilisables y sont à leur tour absorbées par la circulation sanguine. Les déchets qui subsistent poursuivent leur chemin pour être expulsés du corps par l'anus.

La digestion transforme et décompose ce que nous mangeons pour en extraire des éléments directement utilisables par notre organisme : les *nutriments*. Ces nutriments fournissent aux cellules du corps l'énergie nécessaire à leurs activités. C'est grâce à eux que nous grandissons, que notre cerveau fonctionne, que nos muscles travaillent. Le reste, ce qui n'est pas assimilé, joue toutefois un rôle utile. Il participe au transport des nutriments et facilite leur absorption en stimulant le travail de l'appareil digestif. Il s'agit essentiellement de ce qu'on appelle des *fibres*.

Une « chaîne de démontage »

Dans beaucoup d'usines, ce qu'on y fabrique est assemblé pièce par pièce sur des chaînes de montage. L'appareil digestif fait exactement le contraire : c'est une « chaîne de démontage » qui décompose notre nourriture, élément par élément. Ce sont les différentes étapes de ce processus qui sont présentées ci-contre et sur les deux pages suivantes.

Les mouvements du circuit

La nourriture ne se dirige pas toute seule vers l'estomac. Les muscles qui tapissent les parois de l'œsophage se contractent pour la faire avancer. C'est ce qu'on appelle le *péristaltisme*. Il se poursuit d'ailleurs tout au long de l'appareil digestif, quelle que soit la position du corps, même la tête en bas !

Un centre de contrôle

Le foie est une annexe du tube digestif. Par le sang, il reçoit des nutriments provenant de l'intestin grêle. Il en transforme un certain nombre et en stocke d'autres avant de les libérer dans l'organisme.

Œsophage

Foie

L'estomac des ruminants

L'estomac de la vache comprend quatre compartiments et non pas un seul comme le nôtre. La digestion commence dans la panse. Puis une partie de la nourriture remonte dans la bouche pour une seconde mastication (la vache rumine). Et la bouillie ainsi obtenue passe alors directement dans les autres compartiments où s'achève sa digestion. Il faut tout ce travail pour venir à bout des fibres dont la vache se nourrit.

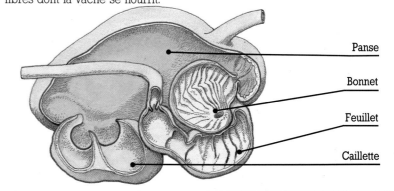

Panse

Bonnet

Feuillet

Caillette

Une poche de muscles

L'estomac est une poche élastique. Ses parois sont formées de muscles puissants qui malaxent la nourriture pendant plusieurs heures. Elles produisent en outre des substances qui activent la digestion.

Des armes chimiques

Le pancréas, juste au-dessous de l'estomac, produit de puissants sucs digestifs. Ces sucs s'écoulent par un étroit conduit jusqu'au duodénum où ils attaquent la nourriture pour activer sa décomposition.

Les besoins de notre corps

Pour fonctionner normalement et rester en bonne santé, notre corps doit absorber régulièrement une nourriture suffisamment variée. Car tous les aliments ne jouent pas le même rôle. Il faut des protéines pour reconstituer nos tissus, des glucides et des graisses pour produire de l'énergie. Les vitamines nous protègent contre certaines maladies et les fibres stimulent nos fonctions digestives. Quant à l'eau, c'est un élément indispensable : on peut vivre beaucoup plus longtemps sans manger que sans boire.

Œufs, viande, lait, poisson = protéines. Huile et beurre = graisses. Sucre et pain = glucides.

On trouve beaucoup de vitamines dans les légumes et les fruits frais.

Fruits, légumes, pain complet, noix contiennent des fibres.

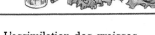

La plupart des fruits et des légumes sont riches en eau.

Vésicule biliaire

Estomac

L'assimilation des graisses

La vésicule biliaire emmagasine la bile, un liquide digestif fabriqué par le foie. Après un repas important et particulièrement gras, la bile s'écoule jusqu'au duodénum où elle dissout les graisses pour en faciliter la digestion.

Pancréas

Intestin grêle

Gros intestin

Le commencement de la fin

Le *duodénum* (environ 25 cm de long) est la première partie de l'intestin grêle. Grâce aux sucs digestifs qu'il reçoit du pancréas et de la vésicule biliaire, il commence la décomposition des aliments qui s'achèvera dans le reste de l'intestin grêle.

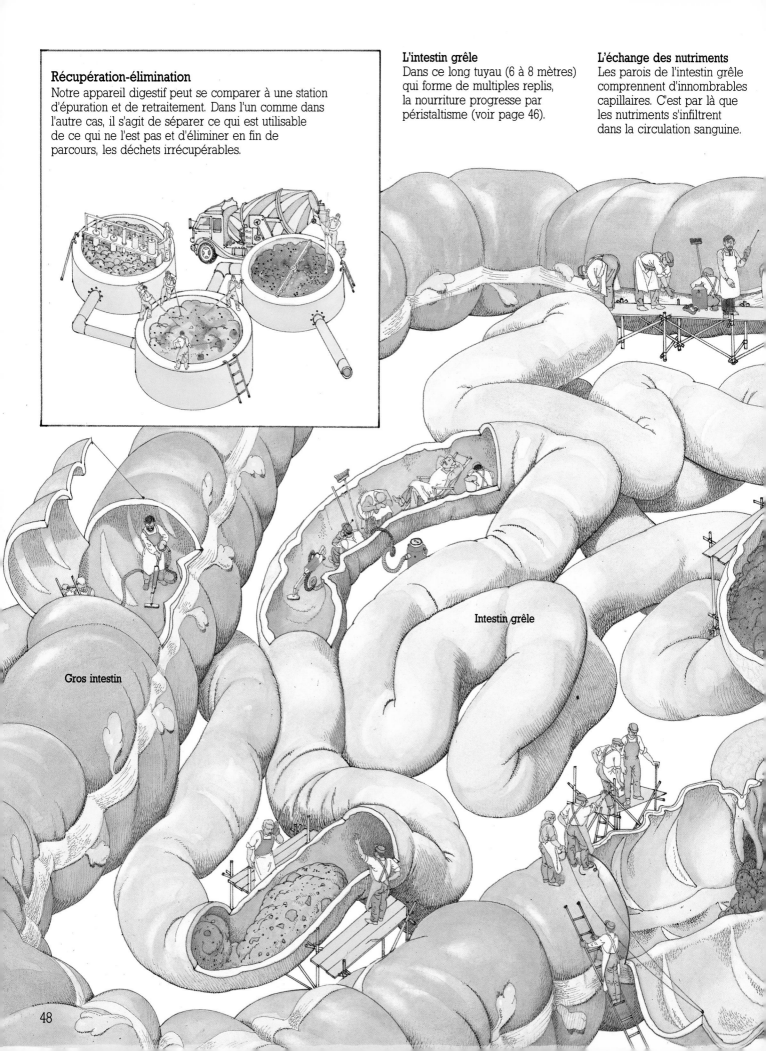

Récupération-élimination

Notre appareil digestif peut se comparer à une station
d'épuration et de retraitement. Dans l'un comme dans
l'autre cas, il s'agit de séparer ce qui est utilisable
de ce qui ne l'est pas et d'éliminer en fin de
parcours, les déchets irrécupérables.

L'intestin grêle

Dans ce long tuyau (6 à 8 mètres)
qui forme de multiples replis,
la nourriture progresse par
péristaltisme (voir page 46).

L'échange des nutriments

Les parois de l'intestin grêle
comprennent d'innombrables
capillaires. C'est par là que
les nutriments s'infiltrent
dans la circulation sanguine.

Intestin grêle

Gros intestin

Le gros intestin

Beaucoup plus court que l'intestin grêle, mais trois fois plus large, il mesure environ 1,50 mètre de long pour 7 cm de diamètre.

Récupération de l'eau

La plus grande partie de l'eau que contiennent encore les aliments non digérés passe du gros intestin dans la circulation sanguine. Le reste est évacué.

À l'intérieur du foie et des reins

Le foie se partage en deux lobes où la circulation sanguine est très abondante. Il transforme les nutriments pour les rendre assimilables, accumule certaines substances pour les libérer en cas de besoin (glucose, fer, vitamines) et détruit les vieilles cellules du sang.

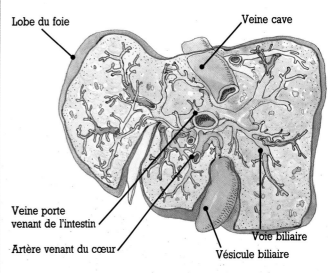

Lobe du foie

Veine cave

Veine porte venant de l'intestin

Artère venant du cœur

Voie biliaire

Vésicule biliaire

Les reins filtrent le sang. Ils contiennent des millions de tubes minuscules où le sang est purifié de ces déchets. Ce qui est utilisable repart dans la circulation sanguine. Le reste est évacué par les uretères vers la vessie.

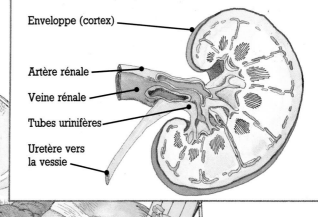

Enveloppe (cortex)

Artère rénale

Veine rénale

Tubes urinifères

Uretère vers la vessie

Un organe inutile

L'appendice est un petit organe qui prolonge le gros intestin près de sa jonction avec l'intestin grêle. Il semble qu'il n'ait aucune utilité. Mais lorsqu'il s'infecte, il provoque de vives douleurs et il faut l'enlever.

La fin du parcours

La « chaîne de démontage » s'achève ici. Les déchets irrécupérables s'accumulent à l'extrémité du gros intestin, dans le *rectum,* en attendant d'être évacués au-dehors par l'anus.

Le début de la vie

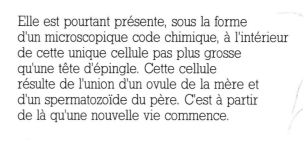

Chaque être humain (et chaque animal) se forme à partir d'une seule et unique cellule. Et cette cellule contient déjà toutes les instructions nécessaires au développement de ce qui deviendra un homme ou une femme. S'il fallait transcrire cette programmation en mots, une bibliothèque n'y suffirait pas !

Elle est pourtant présente, sous la forme d'un microscopique code chimique, à l'intérieur de cette unique cellule pas plus grosse qu'une tête d'épingle. Cette cellule résulte de l'union d'un ovule de la mère et d'un spermatozoïde du père. C'est à partir de là qu'une nouvelle vie commence.

Les spermatozoïdes

Les spermatozoïdes se fabriquent dans les deux *testicules* de l'homme. Ils s'accumulent dans des petits organes parcourus par un minuscule canal replié, les *épididymes* où ils achèvent de se développer. S'ils ne sont pas utilisés, ils meurent et sont absorbés par le reste du corps.

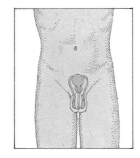

Les ovules

Les ovules sont emmagasinés dans les deux *ovaires* de la femme. Chaque mois, un ovule mûrit et s'engage dans la *trompe de Fallope* qui relie l'ovaire à l'*utérus*. S'il n'est pas fécondé, il est évacué avec un peu de sang par le vagin : c'est ce qu'on appelle les règles.

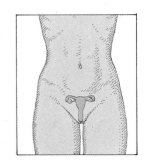

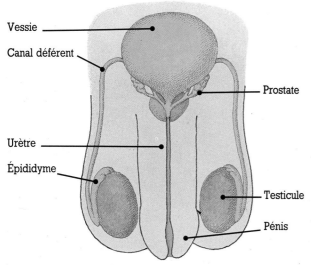

Vessie

Canal déférent

Prostate

Urètre

Épididyme

Testicule

Pénis

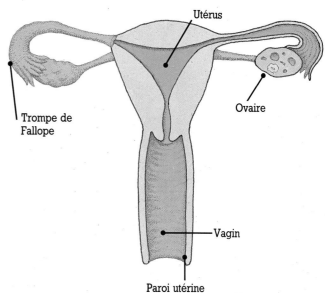

Utérus

Trompe de Fallope

Ovaire

Vagin

Paroi utérine

Faire l'amour

La conception d'un bébé commence par l'union d'un homme et d'une femme. C'est ce qu'on appelle l'acte sexuel ou « faire l'amour ». Le pénis de l'homme durcit et pénètre dans le vagin de la femme. Il s'en écoule un liquide porteur de spermatozoïdes qui sont passés par les canaux déférents et l'urètre. Ces spermatozoïdes remontent par l'utérus jusqu'à la trompe où se trouve l'ovule.

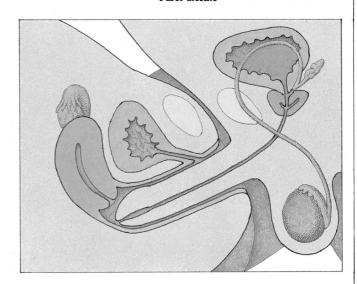

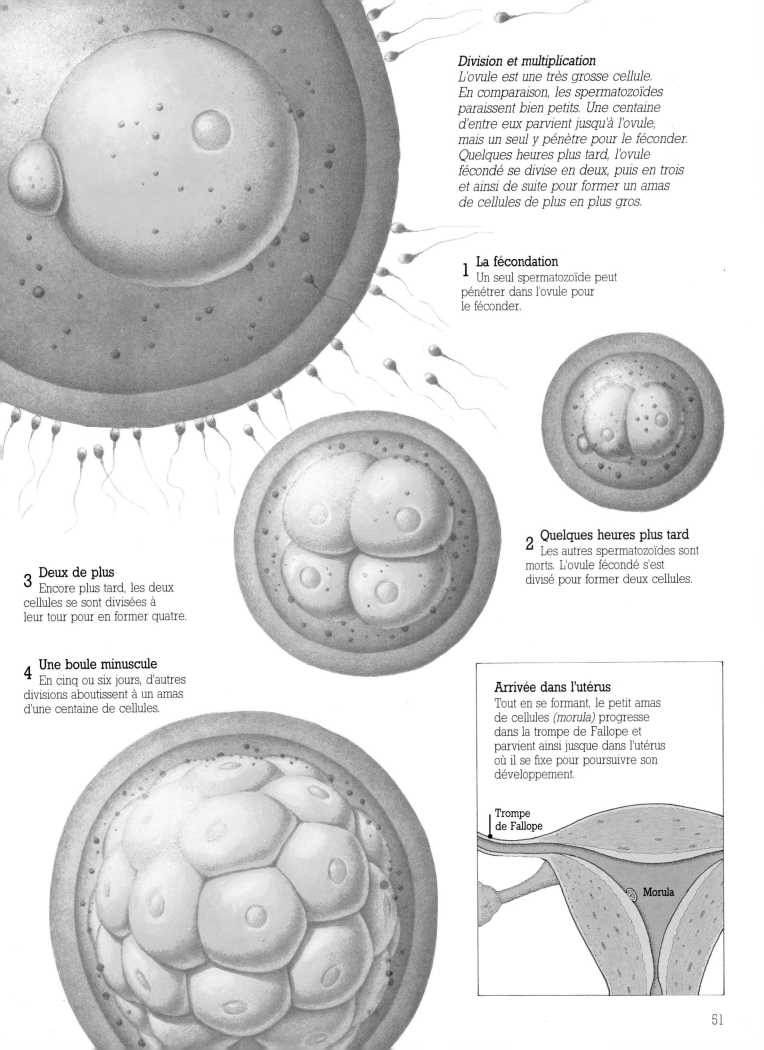

Division et multiplication

L'ovule est une très grosse cellule. En comparaison, les spermatozoïdes paraissent bien petits. Une centaine d'entre eux parvient jusqu'à l'ovule, mais un seul y pénètre pour le féconder. Quelques heures plus tard, l'ovule fécondé se divise en deux, puis en trois et ainsi de suite pour former un amas de cellules de plus en plus gros.

1 La fécondation
Un seul spermatozoïde peut pénétrer dans l'ovule pour le féconder.

2 Quelques heures plus tard
Les autres spermatozoïdes sont morts. L'ovule fécondé s'est divisé pour former deux cellules.

3 Deux de plus
Encore plus tard, les deux cellules se sont divisées à leur tour pour en former quatre.

4 Une boule minuscule
En cinq ou six jours, d'autres divisions aboutissent à un amas d'une centaine de cellules.

Arrivée dans l'utérus

Tout en se formant, le petit amas de cellules *(morula)* progresse dans la trompe de Fallope et parvient ainsi jusque dans l'utérus où il se fixe pour poursuivre son développement.

Trompe de Fallope

Morula

Avant la naissance

La vie d'un bébé commence dans le ventre de sa mère. Au début, ce n'est qu'un minuscule amas de cellules. Puis cet amas se développe et se transforme en un petit corps humain qui grandit jusqu'au moment où il est prêt à faire son apparition dans le monde extérieur.

Dans le ventre de sa mère, le futur bébé vit à l'intérieur d'une poche remplie de liquide. L'oxygène et la nourriture dont il a besoin lui sont fournis par l'intermédiaire du cordon ombilical qui le relie à la circulation sanguine de sa mère (voir page 55).

Au bout de trois mois, le fœtus (le futur bébé) est déjà capable de remuer et même de sucer son pouce ! Il entend la voix de sa mère, les battements de son cœur et tous les autres bruits de son corps.

Enfin, au bout de neuf mois, son développement est achevé : c'est le moment de la naissance.

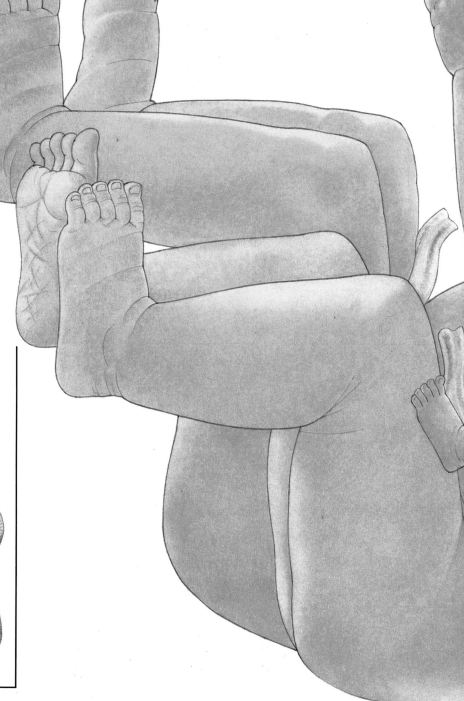

Les neuf premiers mois
On voit ici les principales étapes du développement d'un bébé dans le ventre de sa mère. Les proportions sont à peu près celles de la réalité. À partir du troisième mois, le corps est déjà celui d'un enfant en miniature. Et le fœtus apprend d'instinct toutes sortes de choses qui lui seront utiles plus tard. En suçant son pouce, par exemple, il apprend à téter, ce qui lui permettra d'absorber du lait dès sa naissance. Il apprend également à saisir en repliant ses doigts, à tousser, à éternuer, à bâiller et à s'étirer.

On pourrait confondre !

Au tout début de leur développement, bébés humains et bébés animaux se ressemblent. Les différences n'apparaissent qu'au bout de quelques semaines.

Homme	Lapin	Lézard
3 semaines	1 ½ semaine	1 semaine
5 semaines	2 semaines	2 semaines
6 semaines	2 ½ semaines	3 semaines
8 semaines	3 semaines	4 semaines

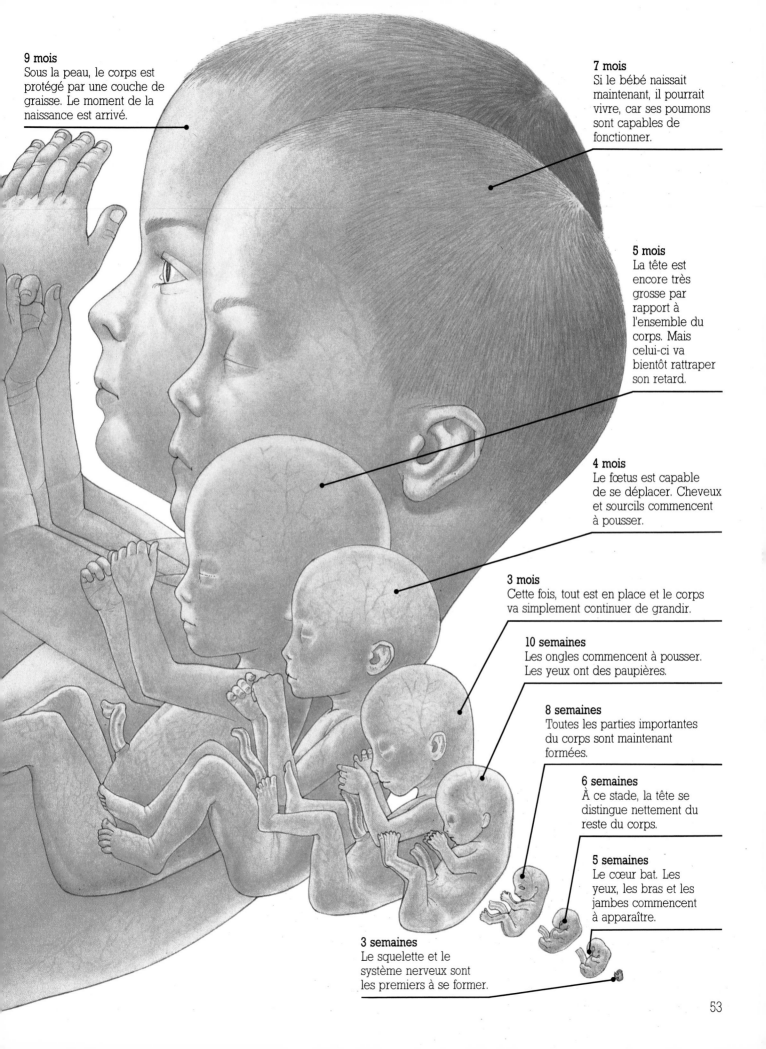

9 mois
Sous la peau, le corps est protégé par une couche de graisse. Le moment de la naissance est arrivé.

7 mois
Si le bébé naissait maintenant, il pourrait vivre, car ses poumons sont capables de fonctionner.

5 mois
La tête est encore très grosse par rapport à l'ensemble du corps. Mais celui-ci va bientôt rattraper son retard.

4 mois
Le fœtus est capable de se déplacer. Cheveux et sourcils commencent à pousser.

3 mois
Cette fois, tout est en place et le corps va simplement continuer de grandir.

10 semaines
Les ongles commencent à pousser. Les yeux ont des paupières.

8 semaines
Toutes les parties importantes du corps sont maintenant formées.

6 semaines
À ce stade, la tête se distingue nettement du reste du corps.

5 semaines
Le cœur bat. Les yeux, les bras et les jambes commencent à apparaître.

3 semaines
Le squelette et le système nerveux sont les premiers à se former.

53

Notre premier voyage

Pendant neuf mois, le bébé a grandi dans le ventre de sa mère. Il est maintenant devenu capable d'affronter le monde extérieur : le moment de sa naissance est arrivé. Les muscles qui composent les parois de l'utérus commencent à se contracter, d'abord doucement, puis avec de plus en plus de force. Le col de l'utérus (son ouverture) s'élargit et le bébé s'y engage progressivement, avec l'aide de sa mère qui pousse pour l'aider à sortir. Et le bébé se retrouve enfin au dehors, dans un monde où il y a de la lumière, du mouvement et du bruit. Quelques secondes plus tard, ses poumons se mettent à fonctionner, il respire à l'air libre. Et bientôt, il commence à téter du lait : c'est son premier repas.

Vers la sortie

Au bout de neuf mois, le bébé occupe toute la place dans l'utérus de sa mère (1). Les parois de l'utérus commencent à se contracter, le col s'élargit et le bébé s'y engage (2). La tête se tourne (3) pour franchir plus facilement l'ouverture du bassin *(voir page 44).* La tête fait peu à peu son apparition à l'extérieur (4), suivie bientôt par tout le reste du corps.

La tête la première

On voit ici comment le bébé effectue sa sortie dans le monde extérieur. Pendant neuf mois, l'utérus était resté hermétiquement clos. Maintenant, il doit s'ouvrir largement pour laisser passer la partie la plus volumineuse du corps : la tête.

Les animaux

Les mammifères ne naissent pas tous de la même façon. Pour les chiens, cela se passe exactement comme pour les bébés humains. Mais lorsqu'un petit kangourou vient au monde, il est encore incapable de vivre seul et poursuit son développement dans une poche que sa mère porte sur le ventre. Quant à l'ornithorynque, c'est un cas à part : il naît dans un œuf, comme un oiseau, mais ensuite il tète sa mère, car c'est pourtant un mammifère.

Une chienne avec ses petits

La poche ventrale du kangourou

Un ornithorynque avec ses œufs

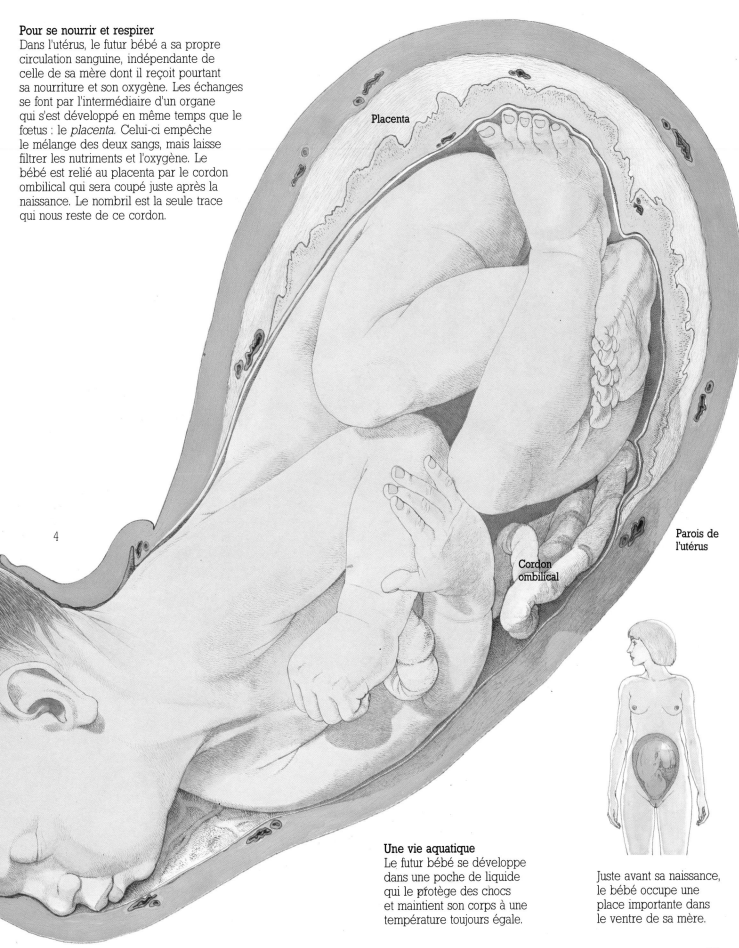

Pour se nourrir et respirer
Dans l'utérus, le futur bébé a sa propre circulation sanguine, indépendante de celle de sa mère dont il reçoit pourtant sa nourriture et son oxygène. Les échanges se font par l'intermédiaire d'un organe qui s'est développé en même temps que le fœtus : le *placenta*. Celui-ci empêche le mélange des deux sangs, mais laisse filtrer les nutriments et l'oxygène. Le bébé est relié au placenta par le cordon ombilical qui sera coupé juste après la naissance. Le nombril est la seule trace qui nous reste de ce cordon.

Placenta

Parois de l'utérus

Cordon ombilical

Une vie aquatique
Le futur bébé se développe dans une poche de liquide qui le protège des chocs et maintient son corps à une température toujours égale.

Juste avant sa naissance, le bébé occupe une place importante dans le ventre de sa mère.

L'héritage des parents

Presque tous les enfants ressemblent à leurs parents, avec simplement quelques différences. On peut avoir, par exemple, « les yeux de sa mère » et le « nez de son père ». Vos parents eux-mêmes ressemblaient à leurs propres parents. Et plus tard, vous aurez à votre tour des enfants qui vous ressembleront. Cette transmission des ressemblances dans une famille, s'appelle l'hérédité.

Un bébé se forme à partir d'une cellule unique, l'ovule fécondé, qui renferme toutes les instructions nécessaires à son développement *(voir page 50)*. Ces instructions s'appellent des *gènes*. Il y en a des milliers. La couleur des cheveux, des yeux et de la peau, la forme du nez, bref, tout ce que nous sommes a été déterminé dès la première cellule du début par nos gènes. Or, ceux-ci ont deux provenances : l'ovule de la mère et le spermatozoïde du père. Et c'est à cause de ce double héritage de gènes que nous ressemblons à nos deux parents à la fois. Lorsqu'un bébé commence à se former dans le ventre de sa mère, les gènes des deux provenances se combinent en décidant ainsi de la couleur des yeux ou de la courbure du nez.

Toutes les combinaisons sont possibles. C'est d'ailleurs pourquoi nous ne sommes jamais totalement identiques à nos parents.

Des grands-parents aux petits-enfants

Observez les ressemblances entre ces six personnes. Au milieu, il y a les parents des deux enfants de droite. Et les deux personnes de gauche sont les parents de la mère.

Blonds ou roux ?

Les cheveux peuvent changer de couleur au fil des années. Ils deviennent plus clair au soleil. Et à partir d'un certain âge, ils commencent à blanchir. Mais au départ, leur couleur naturelle est déterminée par des gènes hérités des parents. Ci-dessous, la grand-mère a transmis à la mère ses cheveux blonds. Le père lui, a les cheveux roux dont son fils a hérité, alors que la fille est blonde comme sa mère.

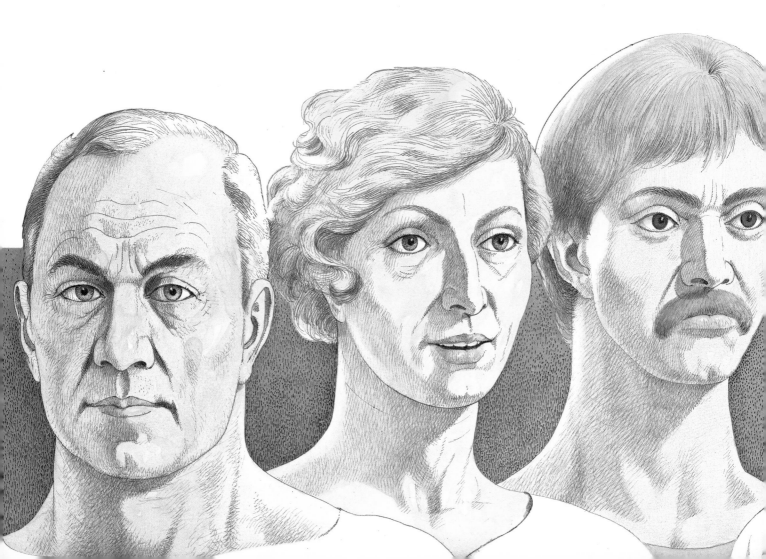

Garçon ou fille ?

Ce sont les gènes qui décident. Ces gènes se trouvent sur de minuscules éléments de la cellule, les *chromosomes*. Il y a 23 chromosomes dans un ovule et 23 dans un spermatozoïde. Un seul de ces 23 chromosomes est celui qui détermine le sexe. Le chromosome sexuel de l'ovule est toujours X; celui du spermatozoïde peut être X ou Y. Lorsque l'ovule est fécondé par un spermatozoïde X, il y aura donc deux chromosomes sexuels X; XX est le code de programmation pour une fille. Mais s'il s'agit d'un spermatozoïde Y, l'ovule fécondé aura un code XY qui est celui d'un garçon.

Père XY   Mère XX

Fille XX   Garçon XY   Fille XX   Garçon XY

Une grande famille

En dépit de leurs différences, tous les êtres humains sont fabriqués sur le même modèle : ils appartiennent tous à la même famille, l'espèce humaine. Pour les animaux, c'est pareil. Tous les chevaux, par exemple, se rattachent à un même groupe, la famille des équidés, dont les zèbres font également partie.

Bleus ou marron ?

La couleur des yeux est également un héritage des parents. Et comme pour le reste, deux gènes peuvent la déterminer : l'un du père, l'autre de la mère. Mais dans ce cas, les deux gènes ne sont pas de force égale : celui des yeux marron est dominant par rapport à celui des yeux bleus. Ci-dessous, les deux grands-parents ont des gènes « yeux bleus » qu'ils ont transmis à la mère, au centre. Le père, lui, a un gène « bleu » et un gène « marron ». Il a des yeux marron et sa femme a des yeux bleus. Leur fils a deux gènes « bleus ». Mais sa sœur a hérité du gène « marron » de son père : elle a les yeux marron.

Une marque de famille

La transmission des gènes peut sauter une génération. Ainsi, par exemple, le garçon ci-dessous a hérité du « nez de sa grand-mère ».

Les transformations du corps

Du début à la fin de sa vie, le corps d'un être humain se modifie considérablement. Tout commence par une cellule microscopique, un ovule fécondé. Et neuf mois plus tard, c'est la naissance d'un bébé complètement formé. Ensuite, la croissance de ce bébé est très rapide. D'une année à l'autre, il ne cesse de grandir, de prendre de l'épaisseur. Il passe ainsi de l'enfance à l'adolescence, puis à l'âge adulte, vers vingt ans. Et là, sa croissance s'arrête. On ne sait pas très bien ce qui détermine cet arrêt. C'est un peu comme si les cellules étaient programmées pour cesser de se multiplier à partir d'un moment donné. Entre vingt et cinquante ans, l'aspect extérieur du corps ne se modifie plus guère en comparaison de ce qui a précédé. Mais à l'intérieur, toutes sortes d'activités se poursuivent. Les organes puisent dans les nutriments distribués par le sang de quoi fabriquer de nouveaux tissus et réparer ceux qui s'usent. Puis, avec l'âge, ces réparations se font de plus en plus lentement. Le corps résiste de moins en moins bien à la fatigue, à la maladie. C'est la vieillesse. Mais si l'on sait entretenir sa forme dès la jeunesse, on peut rester en bonne santé jusqu'à un âge avancé.

La guerre contre la maladie

Les microbes porteurs des maladies peuvent pénétrer dans notre corps par le nez, la bouche ou par les blessures qui ouvrent des brèches dans la peau. Mais nous sommes défendus par des cellules spécialisées, les globules blancs du sang (voir page 16) et de la lymphe, un autre liquide de nos organes. Dès que les microbes envahissent une partie de notre corps, des globules blancs affluent pour les dévorer ou pour produire des substances qui les tuent.

La tête et les jambes

Toutes les parties du corps ne grandissent pas en même temps et de la même façon. La tête et le corps d'un bébé sont relativement gros par rapport à ses membres. Par la suite, c'est le contraire : les bras et les jambes s'allongent rapidement, alors que le volume de la tête augmente peu. À partir de l'âge adulte, la croissance est terminée, mais les muscles continuent de se développer, surtout si l'on fait du sport régulièrement.

La durée de la vie

L'homme vit relativement vieux par rapport à la plupart des animaux. En général, ce sont les plus gros animaux qui vivent le plus longtemps. Les très petits animaux, comme les souris, les insectes ou les escargots, ne vivent au maximum que quelques années.

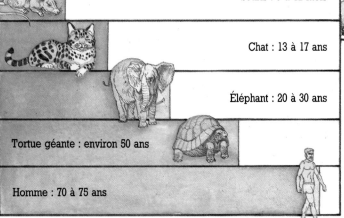

Souris : 9 à 12 mois

Chat : 13 à 17 ans

Éléphant : 20 à 30 ans

Tortue géante : environ 50 ans

Homme : 70 à 75 ans

1 an

C'est l'âge où les bébés commencent tout juste à apprendre à marcher. Ils mesurent en moyenne autour de 75 cm et pèsent environ 10 kilos. Les garçons sont souvent légèrement plus grands et plus lourds que les filles. Un bébé n'a pas besoin d'être gros pour être en bonne santé.

8 ans

Pour un enfant de huit ans, la taille moyenne est d'environ 1,25 mètre pour un poids de 25 à 30 kilos. Il grandit d'environ 5 cm et prend 2 à 3 kilos de plus chaque année. Ses bras et ses jambes s'allongent. Il sait courir, sauter. Il a appris à lire et à écrire.

14 ans
Le corps subit d'importantes
transformations : c'est la
puberté. Les garçons se mettent
à grandir plus vite : huit
centimètres en un an. Chez les
filles, cette accélération de
la croissance a commencé plus
tôt, dès l'âge de onze ans.

20 ans
À cet âge, la plupart des gens
ont atteint leur taille
définitive qui est en moyenne
de 1,75 mètre pour les
hommes et de 1,60 mètre pour
les femmes. Les muscles, en
revanche, continuent de se
développer.

45-50 ans
Jusqu'alors, le corps s'est
étoffé. Maintenant, il a
tendance à prendre un peu trop
de poids, si l'on ne fait pas
attention à ce que l'on mange.
Et certains hommes commencent
à perdre des cheveux sur le
sommet du crâne.

60-70 ans
Le corps se tasse, au point
que certaines personnes peuvent
mesurer plusieurs centimètres
de moins qu'à vingt ans. Les
cheveux blanchissent. Des
taches se forment sur le
dessus des mains. Le visage
se couvre de rides.

Les jambes et les pieds

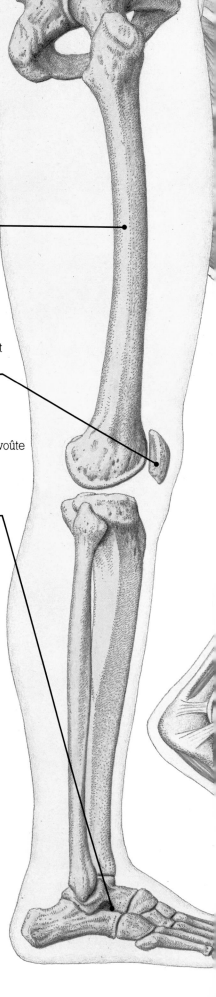

Le membre inférieur se compose de la cuisse, de la jambe et du pied. Sa construction est très proche de celle du membre supérieur *(voir page 19)*. Il comporte à peu près le même nombre d'os et de muscles. La cuisse, comme le bras, ne comprend qu'un seul os. La jambe, comme l'avant-bras, en comprend deux. Et le genou est une articulation identique à celle du coude. Mais il y a des différences de formes et de taille. Les jambes (comme on appelle couramment les membres inférieurs) sont plus longues et plus puissantes que les bras. Car elles doivent supporter tout le poids de notre corps et nous permettre de marcher, de courir, de sauter. Pour soutenir de telles activités, leurs muscles sont abondamment approvisionnés en oxygène et en énergie grâce à tout un réseau de vaisseaux sanguins.

Les leviers du mouvement
Comme les bras, les jambes ont un double système de leviers. En fait, il s'agit même d'un système triple, en comptant le rôle de la cheville lorsque le pied pousse sur le sol pour marcher ou pour courir. Les muscles des jambes sont commandés par un important réseau de nerfs.

Le plus grand os
L'os de la cuisse, le fémur, est le plus long de notre corps. Son articulation avec la hanche est maintenue en place par cinq solides ligaments. C'est une articulation particulièrement résistante.

La plus grosse articulation
Le genou est la plus grosse de nos articulations. Il est protégé sur le devant par un petit os, de forme plus ou moins circulaire, la rotule. Lorsque la jambe est tendue, le genou « se bloque », ce qui économise nos muscles et nous permet de tenir debout sans trop d'effort.

L'élasticité du pied
26 os composent la cheville et le pied. Ceux du pied forment une voûte élastique, qui s'aplatit lorsque nous posons le pied par terre, et reprend sa forme incurvée lorsque nous le levons.

Les articulations
Chacune des trois principales articulations du membre inférieur est différente des deux autres. Celle de la hanche est une articulation en *rotule*, qui permet de larges rotations. Le genou lui, est une articulation *charnière* qui peut se plier d'avant en arrière, mais pas sur les côtés. Quant à la cheville, c'est une articulation à *coulisse* : ses os ne peuvent faire chacun que des mouvements réduits, mais l'ensemble de tous leurs mouvements offre un grand nombre de possibilités. Moins une articulation a de souplesse, plus elle a de puissance : le genou, par exemple, est beaucoup moins fragile que l'épaule ou que la cheville.

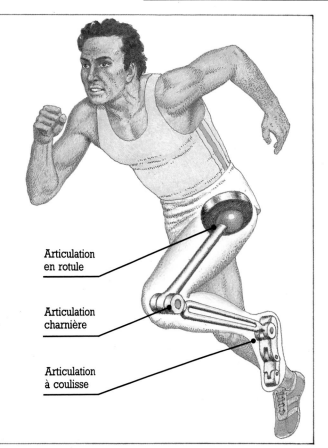

Articulation en rotule

Articulation charnière

Articulation à coulisse

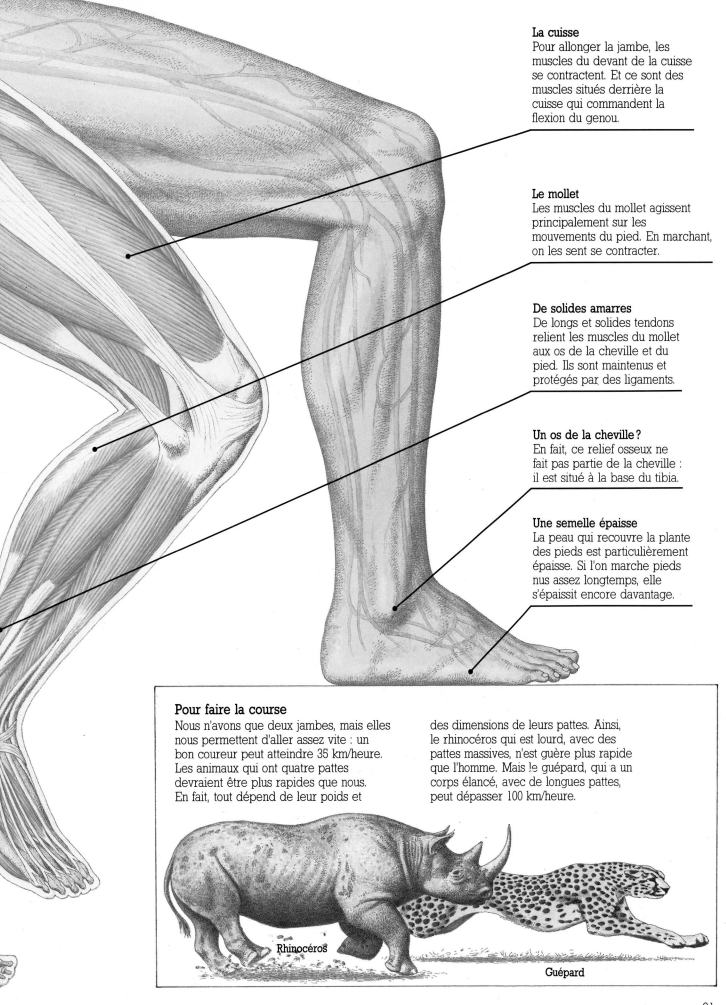

La cuisse
Pour allonger la jambe, les muscles du devant de la cuisse se contractent. Et ce sont des muscles situés derrière la cuisse qui commandent la flexion du genou.

Le mollet
Les muscles du mollet agissent principalement sur les mouvements du pied. En marchant, on les sent se contracter.

De solides amarres
De longs et solides tendons relient les muscles du mollet aux os de la cheville et du pied. Ils sont maintenus et protégés par des ligaments.

Un os de la cheville ?
En fait, ce relief osseux ne fait pas partie de la cheville : il est situé à la base du tibia.

Une semelle épaisse
La peau qui recouvre la plante des pieds est particulièrement épaisse. Si l'on marche pieds nus assez longtemps, elle s'épaissit encore davantage.

Pour faire la course
Nous n'avons que deux jambes, mais elles nous permettent d'aller assez vite : un bon coureur peut atteindre 35 km/heure. Les animaux qui ont quatre pattes devraient être plus rapides que nous. En fait, tout dépend de leur poids et des dimensions de leurs pattes. Ainsi, le rhinocéros qui est lourd, avec des pattes massives, n'est guère plus rapide que l'homme. Mais le guépard, qui a un corps élancé, avec de longues pattes, peut dépasser 100 km/heure.

Rhinocéros

Guépard

GLOSSAIRE

Les mots en italique font l'objet d'une définition dans ce glossaire.

Alvéole
Chacune des poches microscopiques qui absorbent l'air dans nos poumons.

Artère
Vaisseau sanguin qui emmène le sang depuis le cœur vers les organes.

Bronche
Chacun des deux conduits qui relient la *trachée* aux poumons.

Capillaires
Les minuscules vaisseaux sanguins qui assurent les échanges entre le sang et les *cellules* à l'intérieur des organes.

Cellules
Les minuscules unités de construction qui constituent les tissus et les organes de notre corps.

Chromosomes
Situés dans le noyau de chaque *cellule*, ces filaments sont porteurs des *gènes*.

Cortex
Enveloppe de certains organes. Il y a par exemple, le cortex cérébral (du cerveau) et celui des reins.

Crâne
C'est la partie supérieure du squelette et la boîte qui protège le cerveau.

Dendrites
Courtes ramifications de *neurones* par où passent les messages destinés à d'autres cellules nerveuses.

Derme
La couche profonde de la peau, juste au-dessous de l'*épiderme*.

Diaphragme
Muscle mince sur lequel reposent les poumons. Ses contractions participent aux mouvements respiratoires.

Duodénum
La première partie de l'intestin grêle, là où les aliments sont attaqués par de puissants sucs digestifs.

Épiderme
La couche extérieure de la peau.

Fécondation
Union d'une cellule sexuelle mâle (spermatozoïde) et d'une cellule sexuelle femelle (ovule).

Fœtus
Le futur bébé dans le ventre de sa mère.

Follicules pileux
Ce sont les minuscules orifices de la peau où sont implantés les poils.

Gènes
Instructions codées qui programment le développement de notre corps en fonction de son *hérédité*.

Hérédité
Transmission de certaines ressemblances dans une même famille, par l'intermédiaire des instructions codées contenues dans les *gènes*.

Hormones
Messagers chimiques commandés par le cerveau et qui contrôlent certaines activités de notre corps, comme la croissance et la sexualité.

Iris
La partie colorée de l'œil

Kératine
Substance dure produite par la peau et qui entre dans la composition de ongles, des poils et des cheveux.

Ligaments
Solides bandes de matière fibreuse qui maintiennent les os et les articulations en place.

Mélanine
Substance colorée qui assombrit la peau pour la protéger du soleil.

Moelle
Matière molle contenue à l'intérieur des os et qui fabrique les globules rouges du sang ainsi que certains globules blancs.

Morula
Amas de cellules qui deviendra un embryon, puis un fœtus.

Myéline
Enveloppe protectrice de substance grasse qui entoure certaines fibres nerveuses.

Neurones
Autre nom des cellules nerveuses.

Œsophage
Tuyau élastique qui relie le fond de la gorge à l'estomac.

Oreillettes
Les deux cavités supérieures du cœur.

Périoste
Couche fibreuse qui forme l'enveloppe protectrice des os.

Péristaltisme
Contractions qui font progresser les aliments dans l'*œsophage* et dans le reste du tube digestif.

Plaquettes
Éléments cellulaires du sang qui participent à sa coagulation en cas de blessure.

Plasma
C'est la partie liquide du sang. Il se compose d'eau à 90 %.

Puberté
Période importante de la croissance au cours de laquelle les organes sexuels commencent à pouvoir fonctionner.

Rectum
Partie terminale du gros intestin, là où les déchets s'accumulent avant d'être expulsés du corps.

Réflexe
Mouvement déclenché par des nerfs qui ne dépendent pas de notre volonté.

Sacrum
Partie inférieure de la colonne vertébrale formée de plusieurs *vertèbres* soudées les unes aux autres.

Sébacées (glandes)
Glandes de l'*épiderme* qui produisent le sébum, un liquide huileux destiné à conserver à la peau sa souplesse et son imperméabilité.

Tendons
Solides cordons fibreux qui relient les os aux muscles.

Trachée
Tuyau qui relie la gorge aux poumons par l'intermédiaire des *bronches*.

Veine
Vaisseau sanguin qui ramène le sang vers le cœur.

Ventricules
Les deux cavités inférieures du cœur.

Vertèbres
Chacun des os qui se superposent pour former la colonne vertébrale.

INDEX

Dépôt légal Octobre 1988
I.S.B.N. 2-7242-3841-9
Nº Editeur 13720

Imprimé en Espagne par Artes Graficas Toledo S.A.
D.L.TO:2411-1989